KB076647

편입수학만을 위한 스킬편입수학교재

편입수학

공학수학

skill-math

스킬편입수학
연구소

편입수학-공학수학

발 행 | 2024년 2월 21일
저 자 | 스킬편입수학 연구소
펴낸이 | 한건희
펴낸곳 | 주식회사 부크크
출판사등록 | 2014.07.15.(제2014-16호)
주 소 | 서울특별시 금천구 가산디지털1로 119 SK트윈타워 A동 305호
전 화 | 1670-8316
이메일 | info@bookk.co.kr

ISBN | 979-11-410-7312-1

www.bookk.co.kr

공학수학

미분방정식(Differential Equation)

1.상미분방정식(Ordinary Differential Equation): 독립변수를 하나만 포함하고 있는 미분방정식이며 ODE라고 줄여 부른다.
2.편미분방정식(Partial Differential Equation): 독립변수를 두 개 이상 포함하고 편도함수를 포함한 미분방정식이며 PDE라고 줄여 부른다.
3.계수(order): 미분방정식의 도함수 중 가장 많이 미분된 숫자
4.차수(power): 미분방정식의 최고계 도함수의 최고차수
5.선형(linear): 미분방정식의 차수가 1차식 $(y,y',y'',\cdots,y^{(n)}$에 대하여 선형인 미방)
6.비선형(nonlinear): 선형이 아닌 미분방정식
7.제차(homogeneous): 미분방정식의 우변이 0
8.비제차(non-homogeneous): 미분방정식의 우변이 0이 아닐때
9.미분방정식의 해: 미분방정식에서 도함수를 소거하여 얻은 방정식
10.일반해(general solution): 임의의 상수 C를 포함한 해
11.특수해(particular solution): 일반해의 상수가 주어진 조건을 만족하는 해
12.특이해(singular solution): 어떤 특수해가 일반해로 표현되지 않는 것.

① $\left(\frac{d^2y}{dx^2}\right)^3+4y\left(\frac{dy}{dx}\right)^6+y^3\left(\frac{dy}{dx}\right)^2=5x$: 2계 3차 미방

② $\frac{\partial^3 z}{\partial y^3}-5\frac{\partial^3 z}{\partial x^2\partial y}+7\frac{\partial^3 z}{\partial x\partial y^2}=2\sin(3x+7y)$: 3계 1차 편미분방정식

③ $y''+3y'+2y=0$: 2계 제차 상수계수 선형미분방정식

④ $x^2y''+2xy'-6y=0$: 2계 제차 비상수계수($Cauchy-Euler$)선형미분방정식

⑤ $y''+3y'+2y=e^{2x}$: 2계 비제차 상수계수 선형미분방정식

⑥ $x^2y''-2xy'+2y=x^2\ln x$: 2계 비제차 비상수계수($Cauchy-Euler$)선형미분방정식

***변수분리형 미분방정식**

형태 : $f(x)dx+g(y)dy=0$ or $\frac{dy}{dx}=\frac{f(x)}{g(y)}$

일반해 : $\int f(x)dx+\int g(y)dy=0$ or $\int f(x)dx-\int g(y)dy=0$

1. $\frac{dy}{dx}=\frac{\cos x}{e^y}$의 미방을 푸시오.
Ans. $y=\ln(\sin x+C)$

2. $y'=x^2y^3$을 푸시오.
Ans. $2x^3+3y^{-2}=C$

3. $\frac{dy}{dx}=(1+y^2)x$를 푸시오.
Ans. $y=\tan(\frac{1}{2}x^2+C)$

4. $(1+x^2)y'+xy=0$, $y(\sqrt{3})=1$일 때 특수 해를 구하시오.
$Ans.\ y=\dfrac{2}{\sqrt{1+x^2}}$

5. $(\ln y)^2\dfrac{dy}{dx}=x^2y$, $x=2$, $y=1$ 일때, 해를 구하시오.
$Ans.\ y=e^{\sqrt[3]{x^3-8}}$

6. $y(0)=0$을 만족하는 $\dfrac{dy}{dx}=\dfrac{x^2}{y}$의 해는?
$Ans.\ y^2=\dfrac{2}{3}x^3$

7. $y(0)=1$, $\dfrac{dy}{dx}+y^2=0$, $y(a)=2$라 할 때, a는?
$Ans.\ a=-\dfrac{1}{2}$

8. 주어진 기울기는 $y' = \dfrac{-3x+1}{2y-1}$ 을 갖고, 점 $(1,0)$을 지나는 곡선을 D라 하자.
$(0,y)$가 D위에 있기 위한 y값은?
$Ans.\ y = \dfrac{1 \pm \sqrt{3}}{2}$

9. 평면상의 점 $(1,4)$를 지나고 (x,y)에서 접선의 기울기 $\dfrac{2x}{y^2}$을 갖는 곡선의 식은?
$Ans.\ \dfrac{1}{3}y^3 = x^2 + \dfrac{61}{3}$

10. $xy' = y^2 + y,\quad y(1) = \dfrac{-1}{2}$의 해를 y라 할 때, $\lim_{x\to\infty} y(x) = ?$
$Ans.\ -1$

11. $y' > 0$, $y(0) = 1$, $\frac{dy(0)}{dx} = 0$을 만족하는 $\frac{dy}{dx}\left(\frac{d^2y}{dx^2}\right) = 2$에서 $\frac{dy(1)}{dx}$, $y(1)$의 값은?

Ans. 2, $\frac{7}{3}$

12. $y = y(x)$가 미분방정식 $2x^2dx - (3x^4 + 4x^2 + 1)dy = 0$, $y(0) = 0$의 해일때 $y(1)$의 값은?

1). $\left(\frac{1}{4} + \frac{1}{3\sqrt{3}}\right)\pi$ 2). $\left(\frac{1}{4} - \frac{1}{3\sqrt{3}}\right)\pi$ 3). $\left(\frac{1}{2} + \frac{1}{3\sqrt{3}}\right)\pi$ 4). $\left(\frac{1}{2} - \frac{1}{3\sqrt{3}}\right)\pi$

Ans.2)

(07 한양대, 아주대, 국민대)

13. $(1+y^2)dx+(1+x^2)dy=0,\ y(0)=1$의 해가 $y(x)$일 때, $y(2)$의 값은 얼마인가?

1) $\frac{1}{3}$ 2) $-\frac{1}{3}$ 3) $\frac{1}{2}$ 4) $-\frac{1}{2}$

Ans. 2)

(13서강대)

14. $y(x)$가 미분방정식 $\frac{y^2}{x}\frac{dy}{dx}=\sqrt{1-y^3}\ln x,\ y(1)=0$의 해일 때, $y(\sqrt{e})$의 값은?

1) $\frac{\sqrt[3]{39}}{4}$ 2) $-\frac{\sqrt[3]{39}}{4}$ 3) $\frac{\sqrt{39}}{8}$ 4) $-\frac{\sqrt{39}}{8}$

Ans. 1)

(13인하,가천)

15. 미분방정식 $xdy + ydx = 2x^2ydx$의 해 $y = f(x)$가 초기조건 $f(1) = 1$을 만족할때, $f(2)$값은?

1) $\frac{1}{2}e^2$ 2) $3 - \ln 2$ 3) $\frac{1}{2}e^3$ 4) $2 - \ln 3$

Ans. 3)

(10한양대, 과기대, 아주대, 단국대)

16. 초기 조건이 $y(1) = 0$인 미분방정식 $\frac{dy}{dx} = \frac{2x}{2y-4}$의 해를 $y = y(x)$라 하자.
이때 $y(2)$에 가장 가까운 정수는?

1) -1 2) 0 3) 4 4) 5

Ans. 1)

(10홍익대, 아주대, 중앙대, 한양대)

17. 다음 미분방정식 해 $x(t)$의 그래프의 변곡점에서 x의 값은?

$$\frac{dx}{dt}=x(1-x),\ x(0)=\frac{1}{10}$$

1) $\frac{1}{2}$ 2) $\frac{11}{20}$ 3) $\frac{2}{3}$ 4) $\frac{9}{10}$

Ans. 1)

(11.10한양대)

18. $f(t)$가 $3f'(t)+2f(t)=6$을 만족할 때, $\lim_{t\to\infty}f(t)$의 값은?

1) 1 2) 2 3) 3 4) 6

Ans. 3)

(11인하)

19. 다음중 미분방정식 $y''-t(y')^3=0$의 해인 것을 고르면?

1) $y=e^{\frac{t}{e}}$ 2) $y=\frac{15}{4}t^{-\frac{3}{2}}$ 3) $y=\sin^{-1}t$ 4) $y=\tan^{-1}t$

Ans. 3)

(19성대)

20. 다음 중 미분방정식 $(e^{2y}-y)\frac{dy}{dx}=\sin x, y(0)=0$의 해집합 위에 있는 점은?

① (1,2) ② (2,3) ③ $(2\pi,0)$ ④ $(2\pi,1)$ ⑤ $(\pi,2)$

Ans.③

(19성대)

21. y가 미분방정식 $y' = y(1-y), y(0) = \frac{1}{2}$의 해일 때 $y(1)$의 값은?

① 1 ② e ③ $\frac{e}{e+1}$ ④ $\frac{e+1}{e}$ ⑤ 0

Ans.③

(19단국대)

22. 미분방정식 $(y+x^2y)\frac{dy}{dx} - 2x = 0$ 을 만족시키는 곡선 $f(x,y)=0$ 중에서 원점(0,0)을 지나는 곡선은 점(a,2)를 지난다. 양수 a의 값은?

① $\sqrt{e-1}$ ② $\sqrt{e^2-1}$ ③ $\sqrt{e^3-1}$ ④ $\sqrt{e^4-1}$

Ans.②

23. 초기조건이 $y(0)=2$인 미분방정식 $(\cos wx + w\sin wx)dx + e^x dy = 0$의 해는?

$Ans.\ y = e^{-x}\cos wx + 1$

$*$1계 선형미분방정식

형태 : $\frac{dy}{dx}+P(x)y=Q(x)$

일반해 : $y=e^{-\int P(x)dx}\left(\int Q(x)e^{\int P(x)dx}dx+C\right)$

1) $\frac{dy}{dx}+2y=6e^{x}$을 푸시오.

$Ans.\ y=2e^{x}+Ce^{-2x}$

2) $y'+y=2xe^{-x}$을 푸시오.

$Ans.\ y=x^{2}e^{-x}+Ce^{-x}$

3) $y'+2y=e^{-x},\ y(0)=\frac{3}{4}$일 때 해를 구하시오.

$Ans.\ y=e^{-x}-\frac{1}{4}e^{-2x}$

4) $x\dfrac{dy}{dx}-3y=x^2,\ y(1)=0$일 때, 해를 구하시오.

$Ans.\ y=-x^2+x^3$

5) $xf'(x)-2f(x)=3x^2,\ f(1)=1$일 때, 해를 구하시오.

$Ans.\ y=3x^2\ln x+x^2$

6) $\dfrac{dy}{dx}+\dfrac{1}{x}y=\dfrac{1}{xe^x}$의 해를 구하라.

$Ans.\ y=\dfrac{1}{x}(-e^{-x}+C)$

7) $y(0)=1,\ y'+xy=0$에서 $y'(1)$의 값은?

$Ans.\ -e^{-\frac{1}{2}}$

8) $y(0)=\frac{1}{2}$, $\frac{dy}{dx}-2xy=-x$일 때, $\lim_{x\to\infty} y$의 값은?

Ans. $\frac{1}{2}$

(14한양대,단국대,성균관대,가천대,홍익대)

9) 초깃값$y(0)=1$을 만족하는 미분방정식 $\frac{dy}{dx}-y=2xe^{2x}$에서 $y(1)$의 값은?

1)e 2)$2e$ 3)$3e$ 4)$4e$

Ans.3)

10) $y'+y\cos x=2\cos x, y(0)=1$일 때, $y(\pi)$의 값은?

Ans.1

11) $xy' = x + y$에서 해를 y라 할 때, $\lim_{x \to 0} y$의 값은?

$Ans.0$

12) $\frac{dy}{dx} - y = \cos x - \sin x$

$Ans.\ y = \sin x + ce^{x}$

(12아주대, 중앙대)
13) 함수 y가 미분방정식 $y' + y\cos x = xe^{-\sin x}$를 만족하고 $y(0) = 0$일 때, $y(\frac{\pi}{2})$의 값은?

1) 0 2) $\frac{\pi^2}{8e}$ 3) $\frac{\pi^2}{4e}$ 4) $\frac{\pi^2}{2e}$

$Ans.2)$

(13한양대)

14) 함수 $y=f(t)$가 미분방정식 $f'(t)-3f(t)=6t+1$을 만족할 때, 아래 명제에 관한 설명으로 옳은 것은?

(가) $f(0)\neq -1 \Rightarrow \lim_{t\to\infty}\frac{f'(t)}{f(t)}=3$ (나) $\lim_{t\to\infty}\frac{f'(t)}{f(t)}\neq 3 \Rightarrow f(1)=-3$

1)(가)만 옳음 2)(나)만 옳음 3)(가)와 (나)모두 옳음 4)(가)와 (나)모두 옳지 않음.

Ans. 3)

(06한양대)

15) 미분방정식 $\frac{dy}{dx}=\frac{1}{x+y^2}$의 해를 $x(y)$라 할 때, $x(0)=1$일 때, $x(1)$을 구하면?

1) $-5-3e$ 2) $-5+3e$ 3) $5-3e$ 4) $5+3e$

Ans. 2)

(20산기대)

16)미분방정식 $y'(t)+\frac{1}{1+t}y(t)=\frac{\ln t}{1+t}, y(1)=\frac{3}{2}$의 해가 $y(t)$일 때, $y(e)$의 값은?

(단, $t>0$)

① $\frac{2}{e+1}$ ② $\frac{4}{e+1}$ ③ $\frac{e}{e+1}$ ④ $\frac{2e}{e+1}$

Ans.②

(19 성대)

17) y가 미분방정식 $y'+ty=0$ 의 해이고 $y(0)=1$일 때, $\frac{\sqrt{y(2)}}{(y(1))^2}$의 값은?

① 0 ② 1 ③ $\frac{\sqrt{2}}{4}$ ④ $\frac{\sqrt{3}}{3}$ ⑤ $\frac{\sqrt{e}}{9}$

Ans.②

(16한양)

18) 미분방정식 $\frac{dy}{dx}-2xy=2$ 의 해 $y(x)$ 에 대하여 $f(x)=\frac{d}{dx}\left(\frac{y(x)}{e^{x^2}}\right)$ 라고 할 때, $f(0)$ 의 값은?

① -2 ② 1 ③ 2 ④ 4

Ans.③

(19 항공)

19) 함수 $y(x)$가 미분방정식 $x\dfrac{dy}{dx}-3y=x^6e^x$과 조건 $y(1)=e$를 만족할 때, $y(2)$의 값은?

① $4e$ ② $8e^2-2e$ ③ $16e^2$ ④ $8e^2-4e$

Ans.③

(20 성대)

20) 임의의 상수 α에 대하여 미분방정식 $y'-2xy=x, y(0)=\alpha$의 해를 y_α라고 할 때 $\lim\limits_{x\to\infty} y_\alpha(x)<\infty$ 을 만족하는 α는?

① $-\dfrac{1}{3}$ ② $-\dfrac{1}{2}$ ③ 0 ④ $\dfrac{1}{2}$ ⑤ $\dfrac{1}{3}$

Ans.②

(18 국민)

21) 미분방정식 $y'+2ty=2018\ (t>0)$을 만족하는 함수 $y(t)$에 대하여 $\lim\limits_{t\to\infty}y(t)$의 값은?

① 0 ② 1 ③ 2018 ④ -2018

*Ans.*①

***완전미분방정식**

형태 : $P(x,y)dx + Q(x,y)dy = 0$

성립조건 : $\dfrac{\partial P}{\partial y} = \dfrac{\partial Q}{\partial x}$

일반해 : $\int P(x,y)dx + \int [Q(x,y) - \dfrac{\partial}{\partial y}\int P(x,y)dx]\, dy = c$

1. $(5x^2 - 2xy^2)dx + Q(x,y)dy = 0$이 완전 미방일 때 $Q(x,y)$에 적합한 식은?

1) $5x^2 - 2x^2y$ 2) $5y^2 - 2x^2y$ 3) $5x^2 + 2x^2y$ 4) $5y^2 + 2x^2y$

Ans. 2)

2. $(x^3 + kxy + y)dx + (y^3 + x^2 + x)dy = 0$이 완전 미분형 미방이 되기 위한 k의 값은?

$Ans. k = 2$

3. 다음 중 완전 미분형 미방은?

1) $xdy + y^2dx = 0$ 2) $2xydy = (x^2 + y^2)dx$

3) $\sinh x dx + \cosh y dy = 0$ 4) $(3x^2y^2 + x + e^y)dx + (2x^3y + y + xe^y)dy = 0$

Ans. 3), 4)

4. $(x^3 + 2xy + y)dx + (y^3 + x^2 + x)dy = 0$을 푸시오.

$Ans. \frac{1}{4}x^4 + x^2y + xy + \frac{1}{4}y^4 = c$

5. $(2x+y-3)dx+(x-4y+1)dy=0$을 푸시오.

$Ans.\ x^2+xy-3x-2y^2+y=c$

6. $3y+e^x+(3x+\cos y)\dfrac{dy}{dx}=0$을 푸시오.

$Ans.\ 3xy+e^x+\sin y=c$

7. $(3x^2y^2+x+e^y)dx+(2x^3y+y+xe^y)dy=0$을 푸시오.
$Ans.\ x^3y^2+\dfrac{1}{2}x^2+xe^y+\dfrac{1}{2}y^2=c$

8. $x^2dy-\sin 3x dx+2xydx=0$을 푸시오.

$Ans.\ x^2y+\dfrac{1}{3}\cos 3x=c$

9. $(3x^2-2y+e^{x+y})dx+(e^{x+y}-2x)dy=0$을 푸시오.

$Ans.\ x^3-2xy+e^{x+y}=C$

10. $[(x+1)e^x - e^y]dx = xe^y dy,\ y(1)=0$일 때, 해를 구하시오.
$Ans.\ x(e^x - e^y) = e - 1$

(18산기대)
11. 다음 중 완전미분방정식이 아닌 것은?

① $(x - y^3 + y^2\sin x)dx = (3xy^2 + 2y\cos x)dy$ ② $x\dfrac{dy}{dx} = 2xe^x - y + 6x^2$

③ $(y\ln y - e^{-xy})dx + \left(\dfrac{1}{y} + x\ln y\right)dy = 0$ ④ $(x+y)^2dx + (2xy + x^2 - 1)dy = 0$

Ans.③

(21경희)
12. 미분방정식 $(y^3\cos x - y\sin x)dx + (3y^2\sin x + \cos x)dy = 0$의 해 $y(x)$에 대해 $y(0)=1$일 때, $\left(y\left(\dfrac{\pi}{2}\right)\right)^3$의 값은?

① 0 ② 1 ③ -1 ④ 2 ⑤ -2

<u>완전미방이 아닐때: 순서 1.적분인수 2.치환후 변수분리 3.동차형을 이용한 변수분리</u>

*적분인수를 이용한 미분방정식

$P(x,y)dx+Q(x,y)dy=C$

$\frac{\partial P}{\partial y}\neq\frac{\partial Q}{\partial x}$ 일 때,

$sol.$ $i)$적분인수 λ가 x만의 함수인 경우

$$\lambda(x)=e^{-\int Q(x)dx},\ Q(x)=\frac{\frac{\partial Q}{\partial x}-\frac{\partial P}{\partial y}}{Q}$$

$ii)$적분인수 λ가 y만의 함수인 경우

$$\lambda(y)=e^{\int Q(y)dy},\ Q(y)=\frac{\frac{\partial Q}{\partial x}-\frac{\partial P}{\partial y}}{P}$$

(적분인수를 초기미방에 곱하면 완전미방이 되고 적분인수 구할때 적분상수는 생략한다)

1. 다음 중 미분방정식 $(3xy+y^2)+(x^2+xy)\frac{dy}{dx}=0$의 적분인수는?

① y ② x^2 ③ xy ④ x

Ans.④

2. $y'-2y=x$의 적분인자는?

① $2x$ ② $-2x$ ③ e^{2x} ④ e^{-2x}

Ans.④

(19서강)

3. 완전 미분방정식이 아닌 일계 미분방정식 $(4x^3\cot y)dx = (\csc^2 y)dy$를 완전 미분방정식으로 변환하는 적분인자가 될 수 있는 것은? (단, 아래에서 $\exp(t) = e^t$이다.)

① $\exp(4x^2)$ ② $\exp(-2x^2)$ ③ $\exp(4x^3)$ ④ $\exp(x^4)$ ⑤ $\exp(-x^4)$

Ans.④

4. 다음의 초깃값을 가지는 미방의 해를 구하시오.
$(3x+2y^2)dx + 2xydy = 0,\ y(1) = 1$

$Ans.\ x^3 + x^2y^2 = 2$

5. $(1+3x\sin y)dx - x^2\cos y dy = 0$, $y(1)=0$에서 $y(\sqrt{2})=?$

$Ans.\ \sin^{-1}\left(\dfrac{3}{4\sqrt{2}}\right)$

(20성대)

6. 미분방정식 $(2x^2+2xy^2+1)ydx+(3y^2+x)dy=0$ 의 일반해는?

① $y^2e^{x^2}(y^2-x)=c$ ② $y^2e^{x^2}(\frac{1}{2}y^2+x)=c$ ③ $ye^{x^2}(y^2-x)=c$

④ $y^2e^{x^2}(\frac{1}{2}y^2-x)=c$ ⑤ $ye^{x^2}(y^2+x)=c$

Ans.⑤

***치환을 활용한 변수분리**

1. $y' = (x-y)^2$를 푸시오.

$Ans.\ x + \frac{1}{2}\ln\left(\frac{x-y-1}{x-y+1}\right) = C$

2. $y' = (x+y+3)^2$을 푸시오.

$Ans.\ y = \tan(x+c) - x - 3$

3. $(x-y+3)dx-(2x-2y+5)dy=0$의 해를 구하면?

1) $x-2y+\ln(x-y+2)=c$ 2) $x+2y+\ln(x+y+2)=c$

3) $x+2y+\ln(x-y+2)=c$ 4) $x-2y+\ln(x+y+2)=c$

$Ans.1)$

4. $y''=1+(y')^2$을 푸시오.

$Ans.\ y=-\ln\cos(x+c_1)+c_2$

5. $y''+2(y')^2=0$을 푸시오.

Ans. $y=\frac{1}{2}\ln(2x+c_1)+c_2$

6. 미분방정식 $yy''+(y')^2=0$의 해가 $y(0)=1$, $y'(0)=1$을 만족할 때, $y(1)$의 값은?

① 0 ② 1 ③ $\sqrt{2}$ ④ $\sqrt{3}$ ⑤ 2

Ans. ④

***동차형 미분방정식**

$P(x,y)dx + Q(x,y)dy = C$

$\frac{\partial P}{\partial y} \neq \frac{\partial Q}{\partial x}$ 일 때,

일반해 : $y = ux$

$dy = xdu + udx$로 치환하여 정리하면 변수분리형이 된다.

1. $(x^2 + y^2)dx - 2xydy = 0$을 푸시오.

$Ans.\ \frac{x^2 - y^2}{x} = C$

2. $(x^2 + y^2)dx + (x^2 - xy)dy = 0$을 구하시오.

$Ans.\ \ln|x| + \left(-\frac{y}{x} + 2\ln\left|1 + \frac{y}{x}\right|\right) = C$

3. $xy^2y' = x^3 + y^3$을 푸시오.

$Ans.\ \ln|x| - \dfrac{y^3}{3x^3} = C$

(13동국대)

4. 미분방정식 $y' = (\frac{y}{x})^2 + \frac{y}{x},\ y(1) = -1$의 해 y에 대해 $y(e)$의 값은?

1) $-e$ 2) $-\frac{e}{2}$ 3) $\frac{e}{2}$ 4) e

$Ans.$ 2)

(13단국대, 10성균관대, 한양대)
5. 미분방정식 $2xyy' = 3y^2 + 2x^2$의 초기값 $y(1) = 3$일 때, $y(6)$의 값을 구하면?

1)6 2)11 3)48 4)60

$Ans.$ 3)

(13중앙대)

6. $y=y(x)$가 미분방정식 $y(\ln y^2-\ln x^2-1)dx+xdy=0,\ y(1)=e$의 해일 때, $y(2)$의 값은?

1) $e^{\frac{1}{2}}$　2) $2e^{\frac{1}{2}}$　3) $e^{\frac{1}{4}}$　4) $2e^{\frac{1}{4}}$

Ans. 4)

***Bernoulli(베르니)미분 방정식**

형태 : $\frac{dy}{dx}+P(x)y=Q(x)y^n$ or $y'+P(x)y=Q(x)y^n$, (단, $n\neq 0,1$)

1. $x\frac{dy}{dx}+2y=xy^3$을 푸시오.

Ans. $y^{-2}=\frac{2}{3}x+Cx^4$

(15한양)

2. $x\dfrac{dy}{dx}+y=x^2y^2$ 의 일반해 $y(x)$ 에 대하여 $y(1)=\dfrac{1}{100}$일 때, $\dfrac{1}{y(10)}$ 의 값은?

① 101 ② 910 ③ 1010 ④ 1011

Ans.②

3. $y'=ytanx-y^2\sin2x, y(0)=1$을 만족하는 해를 구하시오.

$Ans.\, y=\dfrac{1}{-2\cos^2x+3\cos x}$

(20산기대)

4. 미분방정식 $y'-y=e^ty^2, y(0)=1$의 해가 $y(t)$일 때, $y(\ln2)$의 값은?

① 2 ② -2 ③ 4 ④ -4

Ans.④

5. $y(x)$가 미분방정식 $x\dfrac{dy}{dx}+4y=x^4y^2,\ y(1)=1$의 해일 때, $y(e^2)$의 값은?

① $-\dfrac{1}{e^8}$ ② $-e^8$ ③ $\dfrac{1}{e^8}$ ④ e^8

Ans.①

6. $x\dfrac{dy}{dx}=2\sqrt{xy}+y,(x>0),y(1)=1$에서 $y(e)$의 값은?

$Ans.4e$

7. 시간 t의 함수 $y(t)$가 어떤 양의 상수 a,b와 실수 c (단, $0<c<1$)에 대하여
다음과 같은 베르누이 미분방정식 $\dfrac{dy}{dt}+ay=by^c(t>0)$ 을 만족시킨다고 할 때,
$\lim_{t\to\infty} y(t)$의 값은?

① $a^{\frac{1}{1-c}}$ ② $b^{\frac{1}{1-c}}$ ③ $\left(\dfrac{b}{a}\right)^{\frac{1}{1-c}}$ ④ $\left(\dfrac{a}{b}\right)^{\frac{1}{1-c}}$

$Ans.$③

*2계 제차 상수계수 선형미분방정식
1)형태 : $y'' + ay' + by = 0$, $(a, b \in R)$
2)일반해 : 보조(결정,특성)방정식 $t^2 + at + b = 0$의 두근이
① 서로 다른 실근 α, β인 경우 : $y = c_1 e^{\alpha x} + c_2 e^{\beta x}$
② 중근 α(실근)인 경우 : $y = (c_1 + c_2 x)e^{\alpha x} = c_1 e^{\alpha x} + c_2 x e^{\alpha x}$
③ 허근 $\alpha \pm \beta i$인 경우 : $y = e^{\alpha x}(c_1 \cos\beta x + c_2 \sin\beta x)$

① 서로 다른 실근 α, β인 경우 : $y = c_1 e^{\alpha x} + c_2 e^{\beta x}$

1. $y'' - y' - 2y = 0$의 해를 구하시오.
Ans. $y = c_1 e^{2x} + c_2 e^{-x}$

2. $y'' - 4y' = 0$
Ans. $y = c_1 + c_2 e^{4x}$

3. $y'' - 4y = 0$
Ans. $y = c_1 e^{2x} + c_2 e^{-2x}$

4. $y'' - 5y' + 6y = 0$
Ans. $y = c_1 e^{2x} + c_2 e^{3x}$

5. $y'' + y' - 2y = 0$
Ans. $y = c_1 e^{-2x} + c_2 e^{x}$

6. $y'' - y' = 0$
Ans. $y = c_1 + c_2 e^{x}$

7. $y'' - y = 0$
$Ans.\, y = c_1 e^{-x} + c_2 e^{x}$

8. $y(0) = 1,\ y'(0) = 1$을 만족하는 미방 $\dfrac{d^2y}{dx^2} + \dfrac{dy}{dx} - 2y = 0$에서 $y(1) = ?$

$Ans.\, e$

9. $y'' - 2y' = 0$이고 $y(0) = 1, y\left(\dfrac{1}{2}\right) = e$ 의 해를 y라 할때 $y(1) = ?$

$Ans.\, e^2$

(19한양)
10. 미분방정식 $x'' - 5x' - 14x = 0$의 해 $x = x(t)$가 초기조건 $x(0) = 5, x'(0) = -1$을 만족할 때, $x(t)$가 최소가 되는 t의 값은?
① $\dfrac{1}{3}\ln 2 - \dfrac{1}{9}\ln 7$ ② $\dfrac{1}{9}\ln 2 - \dfrac{1}{9}\ln 7$ ③ 0 ④ $\dfrac{1}{5}\ln 2 - \dfrac{1}{5}\ln 7$ ⑤ $\dfrac{3}{5}\ln 2 - \dfrac{1}{5}\ln 7$

Ans.①

(18한양)

11. $y''+5y'+6y=0,\ y(0)=3,\ y'(0)=-7$ 일 때, $y(1)+y'(1)$ 의 값은?

① $-2e^{-2}-2e^{-3}$ ② $2e^{-2}-2e^{-3}$ ③ $-2e^{-2}+2e^{-3}$ ④ $2e^{-2}+3e^{-3}$

Ans.①

② 중근 α(실근)인 경우 : $y=(c_1+c_2x)e^{\alpha x}=c_1e^{\alpha x}+c_2xe^{\alpha x}$
※3계 선형 상수계수 제차 미방의 특성방정식이 중근 α를 가질때
$y=(c_1+c_2x+c_3x^2)e^{\alpha x}=c_1e^{\alpha x}+c_2xe^{\alpha x}+c_3x^2e^{\alpha x}$

1. $y''-2y'+y=0$의 해를 구하라.
Ans. $y=(c_1+c_2x)e^x$

2. $y''+6y'+9y=0$의 해를 구하시오.
Ans. $y=(c_1+c_2x)e^{-3x}$

3. $y''+4y'+4y=0$의 해를 구하시오.
Ans. $y=(c_1+c_2x)e^{-2x}$

4. $y(0)=1, y'(0)=4$ 일때 $y''+10y'+25y=0$의 해를 구하라.

Ans. $y=e^{-5x}+9xe^{-5x}$

5. $y''' - 6y'' + 12y' - 8y = 0$ 이고 $y(0) = 0,\ y'(0) = 0,\ y''(0) = 2$일 때, $y(\ln 2) = ?$
Ans. $4(\ln 2)^2$

③ 허근 $\alpha \pm \beta i$인 경우 : $y = e^{\alpha x}(c_1\cos\beta x + c_2\sin\beta x)$
$y = c_1e^{(\alpha+\beta i)x} + c_2e^{(\alpha-\beta i)x} = c_1e^{\alpha x}(\cos\beta x + i\sin\beta x) + c_2e^{\alpha x}(\cos\beta x - i\sin\beta x)$
$= e^{\alpha x}[(c_1+c_2)\cos\beta x + (c_1 i - c_2 i)\sin\beta x] = e^{\alpha x}[c_1\cos\beta x + c_2\sin\beta x]$
*짝수근의 공식
$ax^2 + 2b'x + c = 0(a \neq 0)$의 근은 $x = \dfrac{-b' \pm \sqrt{b'^2 - ac}}{a}$

1. $y'' + y' + y = 0$ 의 해를 구하시오.
Ans. $y = e^{\frac{-1}{2}x}[c_1\cos\frac{\sqrt{3}}{2}x + c_2\sin\frac{\sqrt{3}}{2}x]$

2. $y'' + 4y = 0$의 해를 구하라.
Ans. $y = c_1\cos 2x + c_2\sin 2x$

3. $y'' + py = 0$의 해를 구하라.
Ans. $y = c_1\cos\sqrt{p}\,x + c_2\sin\sqrt{p}\,x$

4. $y'' - 2y' + 2y = 0$의 해를 구하라.
Ans. $y = e^x(c_1\cos x + c_2\sin x)$

5. $y'' + 5y = 0$의 해를 구하라.
Ans. $y = c_1\cos\sqrt{5}\,x + c_2\sin\sqrt{5}\,x$

6. $y'' - 2y' + 10y = 0$의 해를 구하라.
Ans. $y = e^x(c_1\cos 3x + c_2\sin 3x)$

7. $y''' - 2y'' + 3y' - 6y = 0$의 일반해는?
Ans. $y = c_1e^{2x} + c_2\cos(\sqrt{3}\,x) + c_3\sin(\sqrt{3}\,x)$

8. 초깃값 문제 $y''-2y'+2y=0$, $y(0)=2$, $y'(0)=1$의 해 $y(x)$에 대하여 $y\left(\frac{\pi}{2}\right)=?$

Ans. $-e^{\frac{\pi}{2}}$

(18한양)

9. 미분방정식 $y^{(4)}-16y=0, y(0)=\frac{7}{2}, y'(0)=-8, y''(0)=10, y'''(0)=-16$ 에 대하여 $y\left(\frac{\pi}{4}\right)+y'\left(\frac{\pi}{4}\right)$ 의 값은?

① $-3e^{-\frac{\pi}{2}}-2$ ② $3e^{-\frac{\pi}{2}}-2$ ③ $e^{\frac{\pi}{2}}-3e^{-\frac{\pi}{2}}-2$ ④ $e^{\frac{\pi}{2}}+3e^{-\frac{\pi}{2}}-2$

Ans.①

(19성대)

10. y가 미분방정식 $y'(t)=y(t)+1+2\int_0^t y(s)ds$, $y'(0)=2$의 해일 때, $y(1)$의 값은?

① e^2 ② e ③ $\sqrt{e}$ ④ $e-e^2$ ⑤ $e+e^2$

Ans.①

(17이화여대)

10.함수 $y=e^{2x}\sin x$에 대하여 $y''+My'+Ny=0$이 성립할 때 $M+N$의 값을 구하시오.

① 0 ② $\frac{1}{2}$ ③ 1 ④ 2 ⑤ π

Ans.③

*2계 코시-오일러($Cauchy-Euler$)방정식
형태 : $x^2y''+axy'+by=0$, $(a,b\in R)$
일반해 : 보조방정식 $[t(t-1)+at+b=0 \Leftrightarrow t^2+(a-1)t+b=0]$
① 서로 다른 실근 α,β인 경우 : $y=c_1x^{\alpha}+c_2x^{\beta} \Leftrightarrow y=c_1e^{\alpha\ln x}+c_2e^{\beta\ln x}$
② 중근 α(실근)인 경우 : $y=c_1x^{\alpha}+c_2x^{\alpha}\ln x=(c_1+c_2\ln x)x^{\alpha} \Leftrightarrow y=c_1e^{\alpha\ln x}+c_2e^{\alpha\ln x}\ln x$
③ 허근 $\alpha\pm\beta i$인 경우 :
$y=x^{\alpha}(c_1\cos(\beta\ln x)+c_2\sin(\beta\ln x)) \Leftrightarrow y=e^{\alpha\ln x}(c_1\cos(\beta\ln x)+c_2\sin(\beta\ln x))$

1. $x^2y''-4xy'+6y=0$의 해를 구하라.
$Ans.\ y=c_1x^2+c_2x^3$

2. $x^2y'' - xy' + y = 0$, $y(1) = 2$, $y(e) = 3e$의 해를 구하라.
Ans. $y = (2 + \ln x)x$

3. $x^2y'' - xy' - y = 0$의 해를 구하라.
Ans. $y = c_1x^{1+\sqrt{2}} + c_2x^{1-\sqrt{2}}$

4. $x^2y'' + xy' - y = 0$, $y(1) = 0$, $y'(1) = 1$, $y''(2) = ?$
Ans. $-1/8$

5. $x^2y'' + xy' + y = 0$의 해를 구하라.
Ans. $y = c_1\cos(\ln x) + c_2\sin(\ln x)$

6. $xy'' - y' = 0$의 해를 구하라.
Ans. $y = c_1 + c_2x^2$

7. $xy'' + y' = 0$의 해를 구하라.
$Ans.\ y = c_1 + c_2 \ln x$

8. $x^3 y'' + 2x^2 y' - 6xy = 0,\ y(1) = 0, y'(1) = 5$를 만족하는 해$y$에 대해 $y(2) = ?$
$Ans.\ 31/8$

9. $x^2 y'' + 3xy' + 3y = 0$의 해를 구하라.
$Ans.\ y = x^{-1}(c_1 \cos(\sqrt{2}\ln x) + c_2 \sin(\sqrt{2}\ln x))$

10. $x^2 \dfrac{d^2y}{dx^2} + ax\dfrac{dy}{dx} - ay = 0$을 만족하는 모든 해 y의 극한 $\lim_{x \to 0} y(x) = 0$이 되기위한 a의 조건은?
$Ans.\ a < 0$

11. $x^3 y''' - 6x^2 y'' + 18xy' - 24y = 0$의 해를 $y = c_1 x^a + c_2 x^b + c_3 x^c$라 할 때, $a+b+c$의 값은?
$Ans.9$

(18한양)

12. $x^2y'' + 5xy' + 5y = 0$, $y(1) = 1$, $y'(1) = -5$ 일 때, $y(e)$ 의 값은?

① $-e^{-2}(\cos 1 + 3\sin 1)$ ② $e^{-2}(\cos 1 + 2\sin 1)$ ③ $e^{-2}(\cos 1 - 3\sin 1)$ ④ $e^{-2}(\cos 1 - 2\sin 1)$

Ans.③

(19과기대)

13. 다음 미분방정식에서 $y(e^{\frac{\pi}{4}})$은?

$$4x^2y'' + 8xy' + 5y = 0, y(1) = e^{\pi}, y(e^{\frac{\pi}{2}}) = e^{\frac{3\pi}{4}}$$

① $\frac{1}{\sqrt{2}}e^{-\frac{7\pi}{8}}$ ② $\sqrt{2}e^{-\frac{7\pi}{8}}$ ③ $\frac{1}{\sqrt{2}}e^{\frac{7\pi}{8}}$ ④ $\sqrt{2}e^{\frac{7\pi}{8}}$

Ans.④

(19항공대)

14. 함수 $y(x)$가 미분 방정식 $y''-3\frac{y'}{x}+4\frac{y}{x^2}=0$과 조건 $y(1)=2, y(e)=3e^2$을 만족할 때, $y(2e)$의 값이 될 수 있는 것은?

① $e(8+8\ln2)$ ② $e^2(2+4\ln2)$ ③ $e(16+8\ln2)$ ④ $e^2(12+4\ln2)$

Ans.④

(17성대)

15. $y=y(x)$ 가 다음의 미분방정식과 초기조건을 만족할 때, $y(e)$의 값은?

$$x^4y^{(4)}+4x^3y'''+11x^2y''-9xy'+9y=0$$
$$y(1)=1,\ y'(1)=3,\ y''(1)=-12,\ y'''(1)=6$$

① $\cos3+\sin3$ ② $\cos3-\sin3$ ③ $\cos3+\sin3+e$ ④ $\cos3-\sin3+2e$ ⑤ $\cos3+\sin3-e$

Ans.①

(16한양)

16. 미분방정식 $(x+1)^2y''-3(x+1)y'+4y=0$, $y(0)=-1, y'(0)=0$ 의 해 $y(x)$ 에 대하여 $y(1)+y(3)=a+b\ln 2$ 일 경우 $a+b$ 의 값은?

Ans. 52

(16홍대)

17. 따뜻한 커피가 담겨있는 원기둥 형태의 컵 안쪽 면의 온도는 50℃, 공기와 맞닿은 바깥쪽 면의 온도는 20℃로 유지된다. 컵의 안쪽 면과 바깥쪽 면 사이에서 컵의 온도 $T(r)$은 r만의 함수이며, Laplace방정식 $\nabla^2 T = 0$을 만족한다. $r=2$에서 컵의 온도를 구하시오,

원기둥좌표계 (r, θ, z)에서 Laplace방정식 $\nabla^2 T = \frac{1}{r}\frac{\partial}{\partial r}\left(r\frac{\partial T}{\partial r}\right) + \frac{1}{r^2}\frac{\partial^2 T}{\partial \theta^2} + \frac{\partial^2 T}{\partial z^2} = 0$이다.

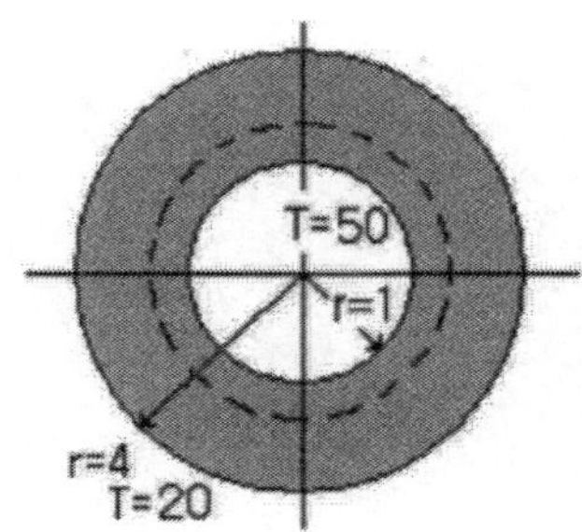

① 45℃ ② 40℃ ③ 35℃ ④ 30℃

Ans.③

18. 진폭이 매우 작은 단진자 운동은 미분방정식 $\frac{d^2\theta}{dt^2} + \omega^2\theta = 0, (\omega^2 = g/l)$로 나타낸다. 여기서 l은 줄의 길이, m은 추의 질량, g는 중력 가속도, $\theta(t)$는 시간 t에서 줄이 수직방향과 이루는 각도이다. 처음에 θ_0만큼 잡아당기고 정지 상태로부터 운동을 시작했을 때, 단진자 운동의 주기에 영향을 미치는 요인을 고르시오.

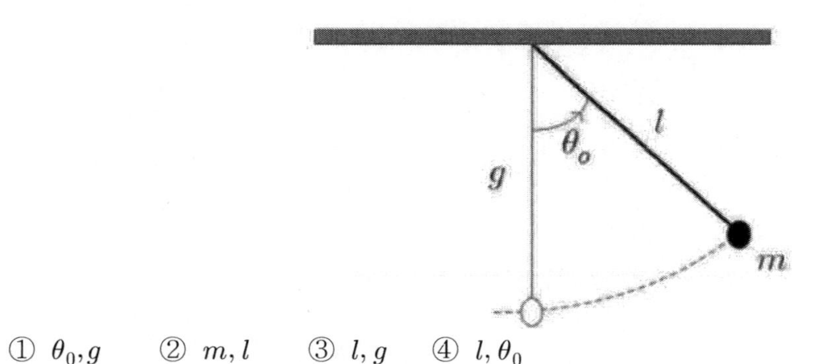

① θ_0, g ② m, l ③ l, g ④ l, θ_0

Ans.③

(17광운)

19. 미분방정식 $(1-x^2)\frac{d^2y}{dx^2}-x\frac{dy}{dx}=0,\ |x|<1$을 $x=\sin t$를 이용하여 t에 관한 미분방정식으로 바꾸면?

① $\frac{d^2y}{dt^2}=0$ ② $\cos^2 t\frac{d^2y}{dt^2}-\sin t\frac{dy}{dt}=0$ ③ $\frac{d^2y}{dt^2}-\sin t\frac{dy}{dt}=0$

④ $\frac{d^2y}{dt^2}-\frac{dy}{dt}=0$ ⑤ $\frac{d^2y}{dt^2}+\frac{dy}{dt}=0$

Ans.①

(18단국)

20. 미분방정식 $\left(x^2e^{\frac{y}{x}}-y^2\right)dx+xydy=0,\ y(1)=0$의 해는?

① $\left(1-\frac{y}{x}\right)e^{-\frac{y}{x}}=\ln|x|+1$ ② $\left(1-\frac{y}{x}\right)e^{\frac{y}{x}}=\ln|x|+1$

③ $\left(1+\frac{y}{x}\right)e^{-\frac{y}{x}}=\ln|x|+1$ ④ $\left(1+\frac{y}{x}\right)e^{\frac{y}{x}}=\ln|x|+1$

Ans.③

(17 항공대)

21. 미분방정식 $\frac{dy}{dx}-2xy=0$에서 $y(0)=2$를 만족하는 해는?

① $y(x)=2e^{-2x}$ ② $y(x)=2e^{-x^2}$ ③ $y(x)=2e^{2x}$ ④ $y(x)=2e^{x^2}$

Ans.④

(17 항공대)

22. 두 점 $(0,0)$과 $\left(\ln 2, \frac{5}{2}\right)$을 지나면서 2계 미분방정식 $y''=4y$을 만족하는 해는?

① $\frac{4}{3}\sinh(2x)$ ② $\frac{4}{3}\cosh(2x)$ ③ $\frac{4}{3}\tanh(2x)$ ④ $\frac{4}{3}\coth(2x)$

Ans.①

*$Lagrange$의 차수축소법 제차선형미분방정식 $y''+P(x)y'+Q(x)y=0$의 한해를 y_1이라 할 때, y_1과 독립인 또 다른해 y_2는 다음과 같다. $y_2=y_1\left(\int \frac{1}{y_1^2}e^{-\int P(x)dx}dx\right)$ 일반해 : $y=c_1y_1+c_2y_2$

1. $xy''+2y'+xy=0$의 한 해가 $y_1=\frac{\sin x}{x}$이다. y_1과 독립인 두번째 해 $y_2=?$

$Ans.\ \frac{-\cos x}{x}$

2. 미분방정식 $x(x-1)y'' + (3x-1)y' + y = 0$의 하나의 해가 $y_1 = \dfrac{1}{1-x}$일 때, 일반해는?

① $y = \dfrac{c_1}{1-x} + \dfrac{c_2}{(1-x)^2}$ ② $y = \dfrac{c_1}{1-x} + \dfrac{c_2 x}{1-x}$ ③ $y = \dfrac{c_1}{1-x} + \dfrac{c_2 \ln x}{1-x}$ ④ $y = \dfrac{c_1}{1-x} + \dfrac{c_2 x \ln x}{(1-x)^2}$

Ans.③

(17홍대)

3. 두 함수 $y_1(x) = x^2, y_2(x) = x^2 \ln x$는 어떤 2계 선형 제차 미분방정식의 해이다.
이 미분방정식의 또 다른 해 $y(x)$가 $y(1) = 10, y'(1) = 5$를 만족할 때, $y(2)$를 구하시오.

① $40 \pm 20\ln 2$ ② $20 + 40\ln 2$ ③ $60 - 40\ln 2$ ④ $40 - 60\ln 2$

Ans.④

(19산기대)

4. $y_1(x) = x$가 $x^2 y'' - xy' + y = 0$의 해 일 때, $y_1(x)$와 독립인 두 번째 해 $y_2(x)$는?

① $x^2 \ln x$ ② $\dfrac{x}{\ln x}$ ③ $x^3 \ln x$ ④ $x \ln x$

Ans.④

(15 한양)

5. $\frac{dy}{dx}=(y-1)^2, y(0)=-2$ 일 때, 다음 중에서 가장 큰 것은?

① $y(2)$ ② $y(1)$ ③ $y'(2)$ ④ $y'(1)$

Ans.①

(15 에리카)

6. 미분방정식 $\frac{dy}{dx}-\frac{3y}{x+1}=(x+1)^4, y(0)=0$의 해는?

① $y(x)=(x+1)^3\left(\frac{x^2}{2}+x\right)$ ② $y(x)=-(x+1)^3\left(\frac{x^2}{2}+x\right)$

③ $y(x)=(x+1)^4\left(\frac{x^2}{2}+x\right)$ ④ $y(x)=-(x+1)^4\left(\frac{x^2}{2}+x\right)$

Ans.①

(19서강)

7. 실수 전체의 집합 R에서 두 번 미분가능한 함수 $f(y)$에 대하여 이변수 함수 $u(x,t)=\frac{1}{\sqrt{t}}f\left(\frac{x}{\sqrt{t}}\right)$가 영역 $D=\{(x,t)\in R^2 | t>0\}$에서 $\frac{\partial u}{\partial t}=\frac{\partial^2 u}{\partial x^2}$를 만족할 때, 함수 $f(y)$가 만족하는 식은?

① $f''(y)+yf'(y)+f(y)=0$ ② $f''(y)+2yf'(y)+f(y)=0$ ③ $2f''(y)+2yf'(y)-f(y)=0$
④ $2f''(y)+yf'(y)-f(y)=0$ ⑤ $2f''(y)+yf'(y)+f(y)=0$

Ans.⑤

(20서강)

8. 함수 $f(x)$가 $x<\frac{1}{2}$일 때 $f''(x)[f(x)]^3=-1$을 만족하고 $f(0)=1, f'(0)=-1$이면 $f(-60)$의 값은?

Ans. 11

(15서강)

9. 어떤 개체의 수 $P(t)$ 가 적당한 양수 a, b에 대하여, 다음의 인구 모형을 따른다고 하자. $\frac{dP}{dt} = P(a - b\ln P)$, $P(0) = P_0$ 아래의 설명 중에서 맞는 것을 모두 고르면?

가. $P_0 = e^{a/b}$ 이면 모든 양수 t에 대하여 $P(t) = e^{a/b}$ 이다.
나. $P_0 < e^{a/b}$ 이면 모든 양수 t에 대하여 $P(t) < e^{a/b}$ 이다.
다. 임의의 양수 P_0 에 대하여 $\lim_{t \to \infty} P(t) = e^{a/b}$ 이다.

① 가, 나 ② 나, 다 ③ 가, 다 ④ 가, 나, 다

Ans.④

(18홍대)

10. 호그와트 마법학교의 총인원은 600명이다. 개학일에 학생 중 1명이 가벼운 감기에 감염되어 입교하였다. 감염자 수 $x=x(t)$의 증가속도가 감염자수와 비감염자수의 곱에 비례하는 조건으로 수학적 모델링을 하였을 때, 함수 $x=x(t)$가 만족하지 않는 식을 고르시오. (개학일은 $t=0$으로 한다.)

① $\dfrac{dx}{dt}=kx(600-x),\ x(0)=1$　　② $\dfrac{x}{600-x}=599e^{600kt}$

③ $x=\dfrac{600}{1+599e^{-600kt}}$　　④ $\dfrac{d^2x}{dt^2}=k^2x(600-x)(600-2x)$

Ans.②

***비제차 선형미분방정식**

형태 : $y'' + Ay' + By = R(x)$

보조방정식 : $t^2 + At + B = 0$

특수해 : $y_p = \dfrac{1}{D^2 + AD + B} R(x)$

일반해 : $y = y_c + y_p$

*역연산자법

1. $R(x) = e^{\alpha x}$ 인 경우

(1) $y_p = \dfrac{1}{f(D)}[e^{\alpha x}] = \dfrac{1}{f(\alpha)} e^{\alpha x}$ (단, $f(\alpha) \neq 0$일 때)

(2) $y_p = \dfrac{1}{(D-\alpha)^n}[e^{\alpha x}] = \dfrac{x^n}{n!} e^{\alpha x}$ (단, $f(\alpha) = 0$ 일 때)

(3) $\dfrac{1}{Q(D)(D-\alpha)^n}[e^{\alpha x}] = \dfrac{x^n}{n!} \dfrac{1}{Q(\alpha)} e^{\alpha x}$ (단, $f(\alpha) = 0$ 일때)

2. $R(x) =$ 다항함수 : ① $\dfrac{1}{1-D} = 1 + D + D^2 + D^3 + \cdots$

② $\dfrac{1}{D^n}[R(x)] = \int^{(n)} R(x)(dx)^n$, (단, $\int^{(n)} (dx)^n$은 n의 중적분을 의미)

3. $R(x) = \sin\alpha x, \cos\alpha x$

$$y_p = \frac{1}{f(D)}[\cos\alpha x] = Re\left[\frac{1}{f(D)}\left(e^{\alpha i x}\right)\right]_{\text{실수부}}$$

$$= \frac{1}{f(D)}[\sin\alpha x] = Im\left[\frac{1}{f(D)}\left(e^{\alpha i x}\right)\right]_{\text{허수부}}$$

3.5 삼각함수($\sin ax$, $\cos ax$)의 소멸연산자

삼각함수 : $kx^n \sin(ax) + lx^n \cos(ax)$

소멸연산자 : $(D^2 + a^2)^{n+1}$

소멸연산자 × 함수 : $(D^2 + a^2)^{n+1}(kx^n \sin(ax) + lx^n \cos(ax)) = 0$

$y_p = \dfrac{1}{D^2 + a^2}\{\sin ax\}$ 형태의 특수해는 $y_p = -\dfrac{1}{2a} x\cos ax$

$y_p = \dfrac{1}{D^2 + a^2}\{\cos ax\}$ 형태의 특수해는 $y_p = \dfrac{1}{2a} x\sin ax$

4. $R(x) = [e^{\alpha x} Q(x)]$, $Q(x)$는 $\sin\alpha x, \cos\alpha x, x^n (n \geq 0)$될수 있다.

$$y_p = e^{\alpha x} \frac{1}{f(D+\alpha)}[Q(x)]$$

1. $y'' + y' - 2y = 3e^{3x}$ 일반해는?

$Ans.\ y = c_1 e^{-2x} + c_2 e^x + \dfrac{3}{10} e^{3x}$

2. $y'' - y' - 6y = e^{-x}$ 일반해는?

$Ans.\ y = c_1 e^{3x} + c_2 e^{-2x} - \frac{1}{4}e^{-x}$

3. $y'' - 4y' + 3y = 10e^{-2x}$ 일반해는?

$Ans.\ y = c_1 e^{x} + c_2 e^{3x} + \frac{2}{3}e^{-2x}$

4. $y'' + 4y' + 3y = -e^{5x}$ 일반해는?

$Ans.\ y = c_1 e^{-x} + c_2 e^{-3x} - \frac{1}{48}e^{5x}$

5. $y'' + 2y' + y = e^{-x}$ 일반해는?

$Ans.\ y = c_1 e^{-x} + c_2 x e^{-x} + \frac{1}{2}x^2 e^{-x}$

6. $y'' - 6y' + 9y = -e^{3x}$ 일반해는?

$Ans.\ y = c_1 e^{3x} + c_2 x e^{3x} - \frac{1}{2}x^2 e^{3x}$

7. $y'' + 4y' + 4y = 3e^{-2x}$ 일반해는?

$Ans.\ y = c_1e^{-2x} + c_2xe^{-2x} + \frac{3}{2}x^2e^{-2x}$

8. $y'' + y' - 2y = e^x$ 일반해는?

$Ans.\ y = c_1e^x + c_2e^{-2x} + \frac{1}{3}xe^x$

9. $y'' - 4y' + 3y = -2e^{3x}$ 일반해는?

$Ans.\ y = c_1e^x + c_2e^{3x} - xe^{3x}$

(19홍대)
10. x에 관한 함수 y가 다음 조건 $y'' - 4y' + 4y = ae^x$, $y(0) = 1, y'(1) = 4e, y''(0) = 0$ 을 만족할 때, 상수 a의 값을 구하면?
① 1 ② 2 ③ 4 ④ 5

Ans.③

11. $y'' - 3y' + 2y = 2$ 일반해는?

$Ans.\ y = c_1e^x + c_2e^{2x} + 1$

(15에리카)

12. 다음 미분방정식의 해는?

$\frac{d^2y}{dx^2} - y = 1(x > 0)$, $y(0) = 0, \lim_{x \to \infty} y(x) = -1$

① $y(x) = e^{-x} + 1$ ② $y(x) = e^{-x} - 1$ ③ $y(x) = -e^{-x} + 1$ ④ $y(x) = -e^{-x} - 1$

Ans.②

13. $y'' + y = 3 + 6e^x$, $y(0) = 7, y'(0) = 4$ 일때 해는?

Ans. $y = \cos x + \sin x + 3 + 3e^x$

14. $y'' - y' + 2y = x^2 + 1$ 특수해를 구하시오.

15. $y'' + y' - 2y = 2x^2$ 일반해를 구하시오.

$Ans.\ y = c_1e^x + c_2e^{-2x} - x^2 - x - \frac{3}{2}$

16. $y'' - 3y' + 2y = x^2$ 일반해를 구하시오.

$Ans.\ y = c_1e^x + c_2e^{2x} + \frac{1}{2}(x^2 + 3x + \frac{7}{2})$

17. $y'' - 2y' + y = x$ 일반해를 구하시오.

$Ans.\ y = c_1e^x + c_2xe^x + x + 2$

18. $y'' - y' - 2y = \cos x$ 일반해를 구하시오.

$Ans.\ y = c_1 e^{2x} + c_2 e^{-x} - \frac{1}{10}(3\cos x + \sin x)$

19. $y'' - 3y' - 4y = \sin 2x$ 일반해를 구하시오.

$Ans.\ y = c_1 e^{4x} + c_2 e^{-x} + \frac{1}{50}(3\cos 2x - 4\sin 2x)$

20. $y'' - y' - 2y = 4\sin 2x$ 일반해를 구하시오.

$Ans.\ y = c_1 e^{2x} + c_2 e^{-x} + \frac{1}{5}(\cos 2x - 3\sin 2x)$

21. 다음 미방 $(D^2+1)y=\sin 2x$의 특수해를 구해라.

$Ans.\ y_p=\frac{1}{-3}\sin 2x$

22. $y''-4y'+3y=\cos 2x$ 의 특수해는?

$Ans.\ y_p=\frac{-1}{65}(8\sin 2x+\cos 2x)$

23. $y''+25y=32\cos 3x$ 일반해를 구하시오.

$Ans.\ y=c_1\cos 5x+c_2\sin 5x+2\cos 3x$

24. $y'' - y' - 2y = 10\cos x$ 일반해를 구하시오.

$Ans.\ y = c_1 e^{-x} + c_2 e^{2x} - 3\cos x - \sin x$

25. $y'' + 4y = \sin 2x$ 일반해를 구하시오.

$Ans.\ y = c_1 \cos 2x + c_2 \sin 2x - \frac{x}{4}\cos 2x$

26. $\frac{1}{D^2+9}\{\cos 3x\} = ?$

$Ans.\ \frac{x}{6}\sin 3x$

27. $y'' - 4y' + 3y = \cos^2 x$ 일반해를 구하시오.

$Ans.\ y = c_1 e^{x} + c_2 e^{3x} + \frac{1}{6} - \frac{1}{130}(8\sin 2x + \cos 2x)$

(18 단국)

28. $y=y(x)$가 미분방정식 $y''+y=8\cos 2x-4\sin x$, $y\left(\frac{\pi}{2}\right)=-1$, $y'\left(\frac{\pi}{2}\right)=0$의 해일 때, $y(\pi)$의 값은?

① $-\pi-\frac{8}{3}$ ② $-\pi+\frac{8}{3}$ ③ $\pi+\frac{8}{3}$ ④ $\pi-\frac{8}{3}$

Ans.①

29. $y''+y'=2x$의 해가 $y''(0)=4$를 만족할 때 $y''(-1)=?$

$Ans.\,2e+2$

30. $y''-2y'=x$ 일반해를 구하시오.

$Ans.\, y=c_1+c_2e^{2x}-\frac{1}{4}x^2-\frac{1}{4}x$

31. $y'' - 3y' - 4y = xe^{-2x}$ 일반해를 구하시오.

$Ans.\ y = c_1 e^{-x} + c_2 e^{4x} + \frac{e^{-2x}}{6}\left(x + \frac{7}{6}\right)$

32. $y'' - y' - 2y = e^{3x}\sin x$ 일반해를 구하시오.

$Ans.\ y = c_1 e^{-x} + c_2 e^{2x} + \frac{e^{3x}}{34}(3\sin x - 5\cos x)$

(17 국민대)
33. 미분방정식 $y'' - 7y' + 10y = e^{4x}$의 해가 될 수 없는 것은?
① $y = \frac{1}{2}e^{2x} - \frac{1}{2}e^{4x} + \frac{3}{2}e^{5x}$ ② $y = \frac{\sqrt{3}}{2}e^{2x} - \frac{1}{2}e^{4x} + \frac{1}{2}e^{5x}$ ③ $y = \frac{3}{2}e^{2x} + \frac{1}{2}e^{4x} - \frac{1}{2}e^{5x}$
④ $y = -\frac{\sqrt{3}}{2}e^{2x} - \frac{1}{2}e^{4x} + \frac{\sqrt{3}}{2}e^{5x}$

Ans.③

(한양)

34. 방정식 $\dfrac{d^4y}{dx^4}+\dfrac{d^3y}{dx^3}=1-x^3e^{-x}$에서 특수해 $y_p(x)$의 형태는? (A,B,C,D,E는 상수)

① $y_p(x)=A+Bx^3e^{-x}+Cx^2e^{-x}+Dxe^{-x}+Ee^{-x}$
② $y_p(x)=A+Bx^4e^{-x}+Cx^3e^{-x}+Dx^2e^{-x}+Exe^{-x}$
③ $y_p(x)=Ax^3+Bx^3e^{-x}+Cx^2e^{-x}+Dxe^{-x}+Ee^{-x}$
④ $y_p(x)=Ax^3+Bx^4e^{-x}+Cx^3e^{-x}+Dx^2e^{-x}+Exe^{-x}$

Ans.④

(14 서강)

35. $y(x)$가 미분방정식 $y''+y'-2y=6e^x$, $y(0)=0$, $y'(0)=-1$ 의 해일 때, $y(1)$ 의 값은?
① $e^{-2}+e$ ② $e^{-2}-e$ ③ $(e^{-2}+5e)/3$ ④ $(e^{-2}-5e)/3$

Ans.①

(14성대)

36. 초깃값이 $y(0)=y'(0)=y''(0)=0$인 미분방정식 $y^{(3)}+y'=e^x$의 해 $y=y(x)$에 대하여 폐구간 $[0,2\pi]$에서 $y=y'$을 만족하는 x의 값은 몇 개 존재하는가?
① 1 ② 2 ③ 3 ④ 4 ⑤ 5

Ans.②

(19 국민)

37. 미분방정식 $y''+y'-2y=4e^{2t}$ 의 일반해 $y(t)$에 대하여 $\lim_{t\to\infty}\frac{y(t)}{e^{2t}}$를 구하면?

① 0 ② 1 ③ 2 ④ 4

Ans.②

(19 과기대)

38. 미분방정식 $y'''+3y''+3y'+y=30e^{-x}, y(0)=3, y'(0)=-3, y''(0)=-47$에서 $y(1)$은?

① $-23e^{-1}$ ② $-17e^{-1}$ ③ e^{-1} ④ $5e^{-1}$

Ans.②

(20 서강)

39. 미분방정식 $y''+4y'+4y=-4x+4$의 해$y(x)$가 $y(0)=4, y'(0)=-6$을 만족할 때 $y(2)$ 값은?

① $3e^{-4}$ ② $-e^{-4}$ ③ $3e^{-4}+1$ ④ 0 ⑤ 2

Ans.④

40. $y(x)$가 미분방정식 $y''' + y' = 3x^2, y''(0) = y'(0) = y(0) = 1$ 의 해일 때, $y(x)$의 x항의 계수는?

① 0 ② 1 ③ −1 ④ −6

Ans.④

(16 한양)

41. 미분방정식 $y'' + 3y' + 2y = 4x^2, y(0) = 7, y'(0) = 0$의 해 $y(x)$ 에 대하여, $y(1) + y'(1) = a + \frac{b}{e^2}$ 라고 할 때, $a+b$ 의 값은?

① −7 ② −6 ③ 6 ④ 7

Ans.④

(19에리카)

42. 미분방정식 $y'' + y = 6x^2 + 2 - 12e^{3x}$의 일반해가
$y = c_1\cos x + c_2\sin x + Ax^2 + Bx + C + De^{3x}$일 때, $A + B + C + D$의 값은?

① $-\frac{18}{5}$ ② $\frac{-21}{5}$ ③ $-\frac{23}{5}$ ④ $-\frac{26}{5}$

Ans.④

(18 홍대)

43. 다음 보기 (a)~(d) 중에서 미분방정식
$y^{(4)}+3y''-4y=-4x^3+18x$의 해가 되는 것의 개수를 구하시오.

(a) $x^3+2\cosh x-\sin 2x$	(b) $x^3+\cos 2x$	(c) $x^3-\sinh 2x$	(d) x^3+3e^x

① 1개 ② 2개 ③ 3개 ④ 4개

Ans.③

(15 서강)

44. 적당한 상수 A,B 에 대하여 아래의 함수 중에서 미분방정식 $y''+y=2\sin\frac{x}{2}\cos\frac{3}{2}x$ 의 해가 될 수 있는 것은?

① $A\sin x+B\cos 2x$ ② $A\sin 2x+B\cos x$ ③ $A\sin 2x+Bx\cos x$ ④ $Ax\sin x+B\cos 2x$

Ans.③

(14성대)

45. 초깃값 $y(0)=0, y'(0)=0$을 만족하는 미분방정식 $y''+4y=\sin^2(2x)$의 해 $y=y(x)$의 최솟값은?

① 0 ② 1 ③ $\frac{1}{4}$ ④ 2 ⑤ 4

Ans.①

(15한양)

46. $y''+y=2x+8\cos x, y(\pi)=0, y'(\pi)=2$일 때, $y\left(\frac{\pi}{2}\right)$ 의 값은?

① -4π ② -2π ③ $-\pi$ ④ 0

Ans.③

47. 다음중 미분방정식 $y''-3y'-4y=12e^{2x}$의 해를 모두 고르시오.

ㄱ. $3e^{-x}$ ㄴ. $2e^{4x}$ ㄷ. $-2e^{2x}$ ㄹ. $e^{-x}+3e^{4x}-2e^{2x}$

48. 함수 $y=f(x)$가 미분방정식 $y''-2y'-2y=2$와 초기조건 $y(0)=y'(0)=0$을 만족할 때, $y''(0)$의 값은?

① 0 ② 1 ③ -1 ④ 2

*Ans.*④

49. $y = y(x)$가 미분 방정식 $y'' - 2y' + y = e^{x}$, $y(0) = y'(0) = 0$의 해일 때, $y(4)$의 값은?

① e^4 ② $2e^4$ ③ $4e^4$ ④ $8e^4$

Ans. ④

50. 초기 조건 $y(0) = 1$, $y'(0) = 2$을 만족하는 미분방정식 $y'' + 4y' + 4y = 2e^{-2x}$의 해 y에 대해 $y(2)$의 값은?

① 0 ② e^{-2} ③ $9e^{-4}$ ④ $13e^{-4}$

Ans. ④

51. 미분방정식 $y'' - 4y' + 4y = 8x + 12$, $y(0) = 5$, $y'(0) = 3$일 때, $y''(0)$의 값은?

① 4 ② -12 ③ -18 ④ 20

Ans. ①

52. 미분방정식 $f(0)=2$, $f''(t)-6f'(t)+9f(t)=t^2e^{3t}$, $f'(0)=6$을 만족시키는 $f(t)$에 대하여 $f(1)$의 값은?

① $\frac{7}{12}e^3$　② $\frac{17}{12}e^3$　③ $\frac{25}{12}e^3$　④ $\frac{29}{12}e^3$

Ans.③

53. 미분방정식 $y''-2y'+y=x^3e^x$, $y(0)=0$, $y'(0)=1$의 해 $y(x)$에 대하여, $y(1)$을 구하면?

① $\frac{21e}{10}$ ② $\frac{21e}{20}$ ③ $\frac{7e}{10}$ ④ $\frac{21e}{40}$

*Ans.*②

54. $y^{(4)}-y=4te^{-t}+t^2e^t$의 특수해 y_p의 형태로 옳은 것은?
(단, 보기에서 a_n는 임의의 상수)

① $a_0te^{-t}+a_4t^2e^t$
② $a_0te^{-t}+a_1e^{-t}+a_3t^2e^t+a_4te^t+a_5e^t$
③ $a_0t^2e^{-t}+a_1te^{-t}+a_3t^3e^t+a_4t^2e^t+a_5te^t$
④ $a_0te^{-t}+a_1e^{-t}+a_3t^4e^t+a_4t^3e^t+a_5t^2e^t$

*Ans.*③

* $Wronskian$ 정리
어떤 함수 $u(x),v(x)$가 있을 때, 두 함수의 독립,종속 여부를 판단하는 방법
$w(x)=\begin{vmatrix} u(x) & v(x) \\ u'(x) & v'(x) \end{vmatrix}$ 의 행렬식이 0이면 종속, 0이 아니면 독립이다.

* $Wronskian$해법(매개변수 변화법)
$y'' + P_1(x)y' + P_2(x)y = R(x)$ (※ y''(최고계)의 계수를 1로 만들고 공식대입)

$$y = c_1u_1(x) + c_2u_2(x) + y_p\ ,\ y_p = u_1(x)\int \frac{w_1R(x)}{w(x)}dx + u_2(x)\int \frac{w_2R(x)}{w(x)}dx$$

$w(x)=\begin{vmatrix} u_1 & u_2 \\ u_1' & u_2' \end{vmatrix} \neq 0$ (u_1,u_2는 독립), $w_1R(x)=\begin{vmatrix} 0 & u_2 \\ R(x) & u_2' \end{vmatrix}$, $w_2R(x)=\begin{vmatrix} u_1 & 0 \\ u_1' & R(x) \end{vmatrix}$

1. $\{\sin x, \cos x, 1\}$ $(-\infty < x < \infty)$의 독립,종속여부를 판단하시오.

2. $\{(x-1)^2, (x+1)^2, x\}$ $(-\infty < x < \infty)$의 독립,종속여부를 판단하시오.

$Ans.$ 종속

3. $y'' + y = \tan x$ 의 일반해는?

$Ans.$ $y = c_1\cos x + c_2\sin x - \cos x\ln(\sec x + \tan x)$

(20 성대)

4. 미분방정식 $y''-2y'+y=\dfrac{e^x}{x}$의 일반해는?

① $y=c_1e^x+c_2xe^x+(x+1)e^x\ln|x|$ ② $y=c_1e^x+c_2xe^x-xe^x\ln|x|$

③ $y=c_1e^x+c_2xe^x+xe^x\ln|x|$ ④ $y=c_1e^x+c_2xe^x-x^2e^x\ln|x|$

⑤ $y=c_1e^x+c_2xe^x+x^2e^x\ln|x|$

Ans.③

5. $y''+6y'+9y=\dfrac{e^{-3x}}{x^2+1}$의 일반해는?

Ans. $y=(c_1+c_2x)e^{-3x}-\dfrac{1}{2}e^{-3x}\ln(x^2+1)+xe^{-3x}\tan^{-1}x$

(17 서강)

6. 아래 선형 미분방정식

$y''+ay'+by=0$ (a,b는 실수인 상수)의 해를 e^x, e^{-x} 라 할 때, $y''+ay'+by=-\dfrac{2e^x}{e^x+1}$ 의 해가 될 수 있는 것은?

① $e^{-x}\ln(e^x+1)-e^x\ln(e^x+1)+1-xe^x$

② $e^{-x}\ln(e^{-x}+1)-e^x\ln(e^x+1)+1+xe^x$

③ $e^x\ln(e^x+1)-e^{-x}\ln(e^{-x}+1)+1+xe^x$

④ $e^x\ln(e^{-x}+1)-e^{-x}\ln(e^x+1)+1-xe^x$

⑤ $e^x\ln(e^x+1)-e^{-x}\ln(e^x+1)+1-xe^x$

Ans.⑤

7. $x^2y''+xy'-y=4$의 일반해를 구하시오.

$Ans.\ y=c_1x+c_2x^{-1}-4$

8. $x^2y'' - 4xy' + 6y = x^4\sin x$ 일반해를 구하시오.

$Ans.\ y = c_1x^2 + c_2x^3 - x^2\sin x$

(15 에리카)

9. 다음 미분방정식 $xy'' + y' = 1\,(x > 0)$ $\quad y(1) = 0, y'(1) = 0$ 의 해는?

(단, $y' = \dfrac{dy}{dx}, y'' = \dfrac{d^2y}{dx^2}$)

① $y(x) = x - \ln x - 1$ ② $y(x) = x + \ln x - 1$ ③ $y(x) = -x - \ln x - 1$ ④ $y(x) = -x - \ln x + 1$

Ans.①

10. 미분방정식 $y'' + 4y = \sec 2x$의 특수해 y_p는?

$Ans.\ y_p = \frac{1}{4}\cos 2x \ln|\cos 2x| + \frac{1}{2}x\sin 2x$

11. 비제차 미분방정식 $(D^2 + 2D + 1)y = e^{-x}\ln x$ 의 해를 구하여라.

12. $y = y(x)$가 미분방정식 $x^2y'' + xy' - y = x$, $y(1) = 0$, $y'(1) = \frac{1}{2}$의 해일 때 $y(e)$의 값은?
$Ans.\ e/2$

13. $x^2y'' + 3xy' + y = \ln x$의 일반해는?

$Ans.\ y = \dfrac{c_1}{x} + \ln x\left(\dfrac{c_2}{x} + 1\right) - 2$

14. $x^2y'' - 2xy' + 2y = x^2\ln x$의 일반해는?

$Ans.\ y = c_1x + c_2x^2 - x^2\ln x + \dfrac{1}{2}x^2(\ln x)^2$

(17중대 공대)

15. $y=y(x)$가 미분방정식 $x^3y''' + xy' - y = x^2$, $y(1)=1$, $y'(1)=3$, $y''(1)=14$의 해일 때, $y(e)$의 값은? (단, e는 자연상수이다.)

$Ans.\ y(e)= e+\frac{11}{2}e+e^2=\frac{1}{2}e(13+2e)$

(14 한양)

16. $y''-\frac{1}{2x}y'+\frac{1}{2x^2}y=x$ 와 $y(1)=0, y'(1)=\frac{2}{5}$ 가 성립할 때 $y(5)$ 의 값은?

① 14 ② 16 ③ 24 ④ 26

Ans.③

17. $(x^3D^3+2x^2D^2-xD+I)y=x^{-2}$의 특수해는?

$Ans.\ \frac{-1}{9}\frac{1}{x^2}$

18. 미분방정식 $y''-6y'+9y=6x^2+2-12e^{3x}$의 특수해 $y_p(x)$의 형태로 옳은것은?
① $y_p(x)=Ax^2+B+Cx^2e^{3x}$
② $y_p(x)=Ax^2+Bxe^{3x}+Cx^2e^{3x}$
③ $y_p(x)=Ax^2+Bx+C+Dxe^{3x}$
④ $y_p(x)=Ax^2+Bx+C+Dx^2e^{3x}$
⑤ $y_p(x)=Ax^2+B+Cxe^{3x}+Dx^2e^{3x}$

Ans.④

19. $(D^3-4D)y=10\cos x+5\sin x$ 의 특수해는?

$Ans.\ y_p=-2\sin x+\cos x$

(17 광운대)

20. 자연수 n에 대해 $y=\dfrac{d^n}{dx^n}(x^2-1)^n$이 다음 미분 방정식을 만족시킬 때 k의 값은?

$(1-x^2)y''-2xy'+ky=0$

① n ② $n+1$ ③ n^2 ④ $n(n+1)$ ⑤ $(n+1)^2$

Ans.④

(18 국민)

21. 미분방정식 $y'+2ty = 2018(t>0)$ 을 만족하는 함수 $y(t)$에 대하여 $\lim_{t\to\infty}y(t)$의 값은?

① 0 ② 1 ③ 2018 ④ −2018

Ans.①

(19 한양)

22. 미분방정식 $x'=(1-t)x+(t-1)^3$의 해 $x=x(t)$가 초기조건 $x(0)=3$을 만족할 때, $x(2)$의 값은?

① −1 ② 0 ③ 1 ④ 2 ⑤ 3

Ans.⑤

(10 인하)
23. 다음 중 미분방정식 $y'' - (\tan x)y' - (\sec^2 x)y = 0$의 해인 것은?

① $y = \tan x$ ② $y = \sec x$ ③ $y = \sec x \tan x$ ④ $y = \cos x$

Ans. ①,②

(16 중대)
24. 미분방정식 $xy'' = y' + 4x(y')^2$의 해를 구하면? (단, c_1, c_2는 임의의 상수이다.)

① $y = c_2 - \frac{1}{2}\ln|c_1 - 3x^2|$ ② $y = c_2 - \frac{1}{2}\ln|c_1 - 2x^2|$

③ $y = c_2 - \frac{1}{4}\ln|c_1 - 3x^2|$ ④ $y = c_2 - \frac{1}{4}\ln|c_1 - 2x^2|$

Ans.④

(16 광운)

25. 함수 $y=f(x)$가 $f(0)=0$이고 연속함수 g에 대한 미분방정식 $y'=g(x)$의 해라 한다. 다음 명제 중 옳은 것을 모두 고르면?

ㄱ. $\lim_{x\to\infty} g(x)=1$이면 $\lim_{x\to\infty}\{f(x)-x\}=0$ 이다.
ㄴ. $x\ge 0$에서 g가 감소함수이면 f도 $x\ge 0$에서 감소함수이다.
ㄷ. 모든 x에 대하여 $g'(x)<0$이면 함수 f의 그래프는 위로 볼록이다.

① ㄴ ② ㄷ ③ ㄱ,ㄴ ④ ㄱ,ㄷ ⑤ ㄴ,ㄷ

Ans.②

(16 성대)

26. 초기조건 $y(1)=1$일 때, 다음 중 미분방정식 $y'=\dfrac{-xy-y^2}{2x^2+5xy}$의 해곡선 위에 있는 점은?

① (2,−7) ② (−3,1) ③ (3,−2) ④ (1,4) ⑤ (−2,4)

Ans.②

(18 인하)

27.미분방정식 $\begin{cases} u''(t)+3u'(t)+2u(t)=2e^{-2t}\sin t\,, t>0 \\ u(0)=1, u'(0)=2 \end{cases}$의 해$u(t)$에 대하여 $\lim_{t\to\infty} e^t u(t)$의 값은?

① 1 ② 2 ③ 3 ④ 4 ⑤ 5

Ans.⑤

(18 인하)

28.다음 미분방정식 $\begin{cases} u'(t)=(u(t))^2\,, t>0 \\ u(0)=1 \end{cases}$의 해 $u(t)$는 $\lim_{t\to a-} u(t)=\infty$를 만족한다. a의 값은?

① 1 ② $\sqrt{2}-1$ ③ 2 ④ $\sqrt{2}+1$ ⑤ 3

Ans.①

(16 인하)

29. 구간 $(-2,2)$에서 정의된 함수 $y=f(x)$가 $f(-1)=-2$이고, 미분 방정식 $y'=\dfrac{-x+2}{y-2}$를 만족한다. 이 함수의 그래프 위의 점 중 원점 O에서 가장 가까운 점을 P라고 할 때, $\overline{OP}$의 값은?

① $3-\sqrt{6}$ ② $4-\sqrt{7}$ ③ $5-2\sqrt{2}$ ④ 3 ⑤ $7-\sqrt{11}$

Ans.③

30. 미분방정식 $y''-2y'+y=x^3e^x$, $y(0)=0$, $y'(0)=1$의 해 $y(x)$에 대하여, $y(1)$을 구하면?

① $\dfrac{21e}{10}$ ② $\dfrac{21e}{20}$ ③ $\dfrac{7e}{10}$ ④ $\dfrac{21e}{40}$

*Ans.*②

31. 미분방정식 $y''-y=\cosh x$, $y(0)=2$, $y'(0)=12$의 해를 구하면?

① $y=2\cosh x+12\sinh x+\dfrac{1}{2}x\cosh x$

② $y=2\cosh x+12x\sinh x+\dfrac{1}{2}\sinh x$

③ $y=2\cosh x+12\sinh x+\dfrac{1}{2}x\sinh x$

④ $y=2x\cosh x+12x\sinh x+\dfrac{1}{2}\sinh x$

*Ans.*③

32. 미분방정식 $y'' - 4y' + 53y = 0$, $y(\pi) = -3$, $y'(\pi) = 2$의 해를 구하면?

① $y = e^{2(x-\pi)}\left[\frac{3}{2}\cos(7x) - \frac{8}{7}\sin(7x)\right]$
② $y = e^{2(x-\pi)}\left[\frac{3}{2}\cos(7x) + \frac{8}{7}\sin(7x)\right]$
③ $y = e^{2(x-\pi)}\left[3\cos(7x) - \frac{8}{7}\sin(7x)\right]$
④ $y = e^{2(x-\pi)}\left[3\cos(7x) + \frac{8}{7}\sin(7x)\right]$

Ans.③

*유일성의 정리
R은 $a \le x \le b$, $c \le y \le d$로서 정의되는 $xy-$평면의 직사각형 영역으로서 그 내부에 점 (x_0, y_0)를 포함한다고 하자. 만일 $f(x,y)$와 $\frac{\partial f}{\partial y}$가 R에서 연속이면 $a \le x \le b$에 포함되는 구간 $I_0 : x_0 - h < x < x_0 + h (h > 0)$와 초깃값 문제를 만족하는 구간 I_0에서 정의되는 유일한 함수 $y(x)$가 존재한다.

1. 다음의 초기치 문제들 중 유일해를 갖지 않는 것은?
① $y' = x\sqrt{y}$, $y(0) = 0$
② $y' = y$, $y(0) = 3$
③ $\frac{dy}{dx} = x^2 + y^2$, $y(0) = 1$
④ $y' = \sqrt{y^2 - 9}$, $y(1) = 4$

Ans.①

2. 미분방정식 $(x^2-4x)y' = (2x-4)y$이 무한히 많은 해를 갖도록 하는 초기조건은?

① $y(0)=1$ ② $y(4)=0$ ③ $y(2)=0$ ④ $y(1)=0$

Ans.②

***직교사영**

1. $y=cx^2$의 직교사영을 구하라.

(16 한양)

2. 두 곡선족 $y=(x+c)^{-1}$과 $y=a(x+k)^{\frac{1}{3}}$ 이 직교절선이 되기 위한 실수 a 의 값은?

① $\frac{1}{2}\sqrt[3]{3}$ ② $\sqrt[3]{3}$ ③ $2\sqrt[3]{3}$ ④ $4\sqrt[3]{3}$

Ans.②

*멱급수 해의 정의

상수 및 변수계수를 갖는 선형미분방정식의 해는 함수 형태이므로 이를 x에 관한 멱급수로 나타내면 쉽게 해를 구할 수 있다. 멱급수는 무한번 미분가능하며 항별 미분이 가능하므로 어떤 구간 위에서 두 멱급수 $\sum_{k=0}^{\infty} a_k x^k$과 $\sum_{k=0}^{\infty} b_k x^k$이 수렴하고 합이 같으면 모든 k에 대하여 $a_k = b_k$임을 알 수 있다. 미분방정식의 해를 x에 관한 멱급수로 나타내면 다음과 같다.

$$y=\sum_{k=0}^{\infty} a_k x^k = a_0 + a_1 x + a_2 x^2 + \cdots + a_n x^n + \cdots$$

주어진 조건에 멱급수를 대입하고 미정계수의 관계식을 구하여 해를 구한다.

1. 미분방정식 $y' - y = 0$을 만족하는 일반해를 멱급수를 활용하여 구하시오.

2. 다음 멱급수 중 $y(x)=\sum_{n=0}^{\infty} a_n x^n$형의 해가 존재하지 않는 것은?

① $y'' + y = 0$
② $y'' + (\cos x)y = 0$
③ $y'' + e^{ix}y = 0$
④ $xy'' + y' + xy = 0$

3. 미분방정식 $\frac{d^2y}{dx^2} + (\sin x)y = 0$을 만족하는 함수를 $y = \sum_{n=0}^{\infty} a_n x^n$으로 표현한다면 x^2의 계수는?

$Ans. a_2 = 0$

4. $y'' + \frac{y}{1+x^2} = 0$을 만족하는 해를 $y = \sum_{n=0}^{\infty} a_n x^n$으로 나타낼 때 a_2를 a_0, a_1으로 나타내라.

$Ans.$ $a_2 = -\frac{1}{2}a_0$

5. $y' = y + x^2$의 해를 $y = c_0 + c_1 x + c_2 x^2 + c_3 x^3 + \cdots$ 으로 나타낼 때 $\frac{c_0 + c_2}{c_1} = ?$

$Ans.$ $3/2$

6. $\dfrac{d^2y}{dx^2} - xy = 0$ 에서 y를 x에 대한 멱급수로 표현했을때 x^5의 계수는?

$Ans.\ a_5 = 0$

7. $y' - 2xy = 0$의 멱급수 $y = \sum_{n=0}^{\infty} c_n x^n$을 대입하여 c_0, c_1, c_2, c_3의 관계식을 구하시오.

$Ans.\ c_2 = c_0$

(14한양)

8. $y''+(\sin x)y'+(\cos x)y=0$과 $y(0)=1, y'(0)=1$ 을 만족하는 함수 y를 멱급수 $\sum_{n=0}^{\infty} a_n x^n$ 으로 표현할 때, a_3 의 값은?

① $\frac{1}{3}$ ② $-\frac{1}{3}$ ③ $\frac{1}{6}$ ④ $-\frac{1}{6}$

Ans.②

(15 한양)

9. $y''+(\cos x)y=0$ 의 급수해 $y=\sum_{n=0}^{\infty} c_n x^n$ 에서 $c_5=-50$ 일 때, c_3 의 값은?

Ans. 250

(15 인하)

10. 초깃값 문제 $y''+(x-6)y=0, y(0)=1, y'(0)=1$의 해를 멱급수 $\sum_{n=0}^{\infty} a_n x^n$으로 나타냈을 때, a_4의 값을 구하시오.

ⓐ $-\frac{1}{12}$ ⓑ $\frac{5}{12}$ ⓒ $\frac{11}{12}$ ⓓ $\frac{17}{12}$

Ans.ⓓ

(15 성균관대)

11. 미분방정식 $y''-2xy'+y=0$의 멱급수 해가 $\sum_{n=0}^{\infty} c_n x^n$일 때, 다음 점화식 중 옳은 것은?

① $(n+2)c_{n+2}+c_2=0\,(n \geq 2)$
② $nc_{n+1}-c_n=0\,(n \geq 0)$
③ $c_{n+2}-2c_{n+1}+c_n=0\,(n \geq 0)$
④ $(n+1)c_{n+2}+(n-1)c_n=0\,(n \geq 1)$
⑤ $(n+2)(n+1)c_{n+2}-(2n-1)c_n=0\ \ (n \geq 1)$

Ans.⑤

12. $y=y(x)$가 미분 방정식 $y'' - 2xy' + 8y = 0, y(0) = 3, y'(0) = 0$의 해일 때 $y(1)$의 값은?
Ans. -5

(17 서강)

13. 멱급수 형태의 함수 $y = \sum_{k=0}^{\infty} c_k x^k$ 가 미분방정식 $y'' - (\sin x)y = 0, y(0) = 0, y'(0) = 1$ 을 만족할 때, $c_0 + c_1 + c_2 + c_3 + c_4$ 의 값은?

① $\frac{1}{12}$ ② $\frac{25}{12}$ ③ $-\frac{11}{12}$ ④ $-\frac{23}{12}$ ⑤ $\frac{13}{12}$

Ans.⑤

(17 홍대)

14. 다음 미분방정식의 해 $y(x)$에 대해 $\frac{y^{(4)}(0)}{4!}$을 구하시오.

$$(1-x^2)y''-xy'+10y=0,\ y(0)=1,\ y'(0)=3$$

① $\frac{1}{8}$ ② $\frac{5}{2}$ ③ $\frac{10}{3}$ ④ $\frac{25}{6}$

Ans.②

(18 한양)

15. 미분방정식

$(1+x+2x^2)y''+(1+7x)y'+2y=0,\ y(0)=-1,\ y'(0)=-2$ 의 해를 $y=\sum_{n=0}^{\infty}a_nx^n$ 이라 할 때, a_3와 a_4 의 값은?

① $a_3=-\frac{4}{3},\ a_4=\frac{53}{12}$ ② $a_3=\frac{4}{3},\ a_4=-\frac{53}{12}$ ③ $a_3=-\frac{5}{3},\ a_4=\frac{55}{12}$ ④ $a_3=\frac{5}{3},\ a_4=-\frac{55}{12}$

Ans.④

＊ 제차 연립미분방정식

1. $\begin{cases} x' = 2x + 2y \\ y' = 5x - y \end{cases}$ 연립미분방정식을 풀어라.

$Ans.\ x = c_1e^{4t} - \frac{2}{5}c_2e^{-3t},\ y = c_1e^{4t} + c_2e^{-3t}$

2. $\begin{cases} \frac{dx}{dt} = 4x + y \\ \frac{dy}{dt} = -x + 2y \end{cases}$ 연립미분방정식을 풀어라.

$Ans.\ x = -e^{3t}(c_1 + c_2 + c_2t),\ y = c_1e^{3t} + c_2te^{3t}$

3. $\begin{cases} x' = -x+y \\ y' = -x-y \end{cases}$ 연립미분방정식을 풀어라.

Ans. $x = e^{-t}(c_1\cos t + c_2\sin t), y = e^{-t}(c_1\cos t + c_2\sin t)$

(14 한양)

4. 연립미분방정식 $\begin{cases} y_1' = y_1 + y_2 \\ y_2' = 5y_1 - 3y_2 \end{cases}$ 와 $y_1(0) = 1, y_2(0) = -5$를 만족하는 함수 y_1과 y_2에 대해 $y_1(1) + y_2(1)$ 의 값은?

① $2e^2$ ② $-4e^{-4}$ ③ $2e^2 - 4e^{-4}$ ④ $2e^2 + 4e^{-4}$

Ans.②

(14 성대)

5. 초깃값 $y_1(0)=0, y_2(0)=2$를 만족하는 아래의 선형 연립미분방정식의 해 $y_1=y_1(t), y_2=y_2(t)$에 대하여 $y_1(1)+y_2(1)$의 값은?

$$\begin{cases} y_1{}'=y_1+12y_2 \\ y_2{}'=3y_1+y_2 \end{cases}$$

① $3e^7-e^{-5}$ ② $4e^7+e^{-5}$ ③ e^7-e^{-5} ④ e^7-3e^{-5} ⑤ $5e^7-3e^{-5}$

Ans.①

(15 성대)

6. 연립 미분방정식 $\begin{pmatrix} y_1{}' \\ y_2{}' \end{pmatrix}=\begin{pmatrix} 1 & 1 \\ -2 & 3 \end{pmatrix}\begin{pmatrix} y_1 \\ y_2 \end{pmatrix}, \begin{pmatrix} y_1(0) \\ y_2(0) \end{pmatrix}=\begin{pmatrix} 0 \\ 1 \end{pmatrix}$의 해 y_1, y_2에 대하여 y_1-y_2는?

① $-e^{2t}\cos t$ ② $e^{2t}\sin t$ ③ $e^{2t}\sin t-e^{2t}\cos t$ ④ $e^{2t}\cos t-e^{2t}\sin t$ ⑤ $e^{2t}\sin t+e^{2t}\cos t$

Ans.①

7. 연립 미분방정식 $x' - 4x + y'' = t^2$, $x' + x + y' = 0$의 일반해 $x(t)$와 $y(t)$를 구했을 때, $y(t)$의 꼴로 알맞은 것은?

① $y(t) = C_1 + C_2\cos 2t + C_3\sin t2t + \frac{1}{12}t^3 + \frac{1}{4}t^2 - \frac{1}{8}t$

② $y(t) = C_1\cos 2t + C_2\sin t2t + \frac{1}{12}t^3 + \frac{1}{4}t^2 - \frac{1}{8}t$

③ $y(t) = C_1e^{2t} + C_2te^{2t} + \frac{1}{12}t^3 + \frac{1}{4}t^2 - \frac{1}{8}t$

④ $y(t) = C_1e^{2t} + \frac{1}{12}t^3 + \frac{1}{4}t^2 - \frac{1}{8}t$

Ans.①

(18 한양)

8. 연립미분방정식 $\begin{pmatrix} x'(t) \\ y'(t) \\ z'(t) \end{pmatrix} = \begin{pmatrix} 1 & 2 & -1 \\ 1 & 0 & 1 \\ 4 & -4 & 5 \end{pmatrix}\begin{pmatrix} x(t) \\ y(t) \\ z(t) \end{pmatrix}, \begin{pmatrix} x(0) \\ y(0) \\ z(0) \end{pmatrix} = \begin{pmatrix} -1 \\ 0 \\ 0 \end{pmatrix}$ 을 만족하는 해 $x(1) + y(1) + z(1)$ 의 값은?

① $-e + 3e^2 - 4e^3$ ② $3e^2 - 4e^3$ ③ $e - 3e^2 + 4e^3$ ④ $-3e^2 + 4e^3$

Ans.②

9. 연립미분방정식 $Y' = \begin{pmatrix} 3 & -18 \\ 2 & -9 \end{pmatrix} Y$을 풀어라.

10. 다음 연립미분방정식의 해 $y = \begin{pmatrix} y_1 \\ y_2 \end{pmatrix}$가 아닌 것은?

$$\begin{cases} y_1' = -3y_1 + y_2 \\ y_2' = -y_1 - y_2 \end{cases}$$

① $\begin{pmatrix} 1 \\ 1 \end{pmatrix} e^{-2t} + \left\{ \begin{pmatrix} 1 \\ 1 \end{pmatrix} t + \begin{pmatrix} 0 \\ 1 \end{pmatrix} \right\} e^{-2t}$ ② $\begin{pmatrix} 2 \\ 2 \end{pmatrix} e^{-2t} + \left\{ \begin{pmatrix} 1 \\ 1 \end{pmatrix} t + \begin{pmatrix} 1 \\ 2 \end{pmatrix} \right\} e^{-2t}$

③ $\begin{pmatrix} 1 \\ 1 \end{pmatrix} e^{-2t} + \left\{ \begin{pmatrix} 2 \\ 2 \end{pmatrix} t + \begin{pmatrix} 1 \\ 3 \end{pmatrix} \right\} e^{-2t}$ ④ $\begin{pmatrix} 2 \\ 2 \end{pmatrix} e^{-2t} + \left\{ \begin{pmatrix} 2 \\ 2 \end{pmatrix} t + \begin{pmatrix} 1 \\ 4 \end{pmatrix} \right\} e^{-2t}$

Ans.④

11. 초깃값 $x_1(0)=2,\ x_2(0)=0$을 만족하는 미분방정식 $\begin{cases} \dfrac{dx_1}{dt}=x_1+x_2 \\ \dfrac{dx_2}{dt}=4x_1+x_2 \end{cases}$ 에서 $\begin{pmatrix} x_1(1) \\ x_2(1) \end{pmatrix}$의 값은?

① $\begin{pmatrix} e^3-e^{-1} \\ e^3+e^{-1} \end{pmatrix}$ ② $\begin{pmatrix} e^3+e^{-1} \\ e^3-e^{-1} \end{pmatrix}$ ③ $\begin{pmatrix} e^3+e^{-1} \\ 2e^3-2e^{-1} \end{pmatrix}$ ④ $\begin{pmatrix} e-e^{-1} \\ 2e+2e^{-1} \end{pmatrix}$

Ans.③

12. 초기조건 $x(0)=2, y(0)=-1$을 만족하는 연립미분방정식 $\begin{pmatrix} x'(t) \\ y'(t) \end{pmatrix}=\begin{pmatrix} 2 & 8 \\ -1 & -2 \end{pmatrix}\begin{pmatrix} x(t) \\ y(t) \end{pmatrix}$ 이 있을 때, $x''(0)+y''(0)$의 값을 구하면?

① -8 ② -4 ③ -2 ④ -1

Ans.②

(11 한양)

13. 초기 조건인 주어진 연립미분방정식 $\begin{pmatrix} x'(t) \\ y'(t) \\ z'(t) \end{pmatrix}=\begin{pmatrix} 1 & -1 & 0 \\ -1 & 1 & 1 \\ 0 & 1 & 1 \end{pmatrix}\begin{pmatrix} x(t) \\ y(t) \\ z(t) \end{pmatrix}, \begin{pmatrix} x(0) \\ y(0) \\ z(0) \end{pmatrix}=\begin{pmatrix} -1 \\ 1 \\ 0 \end{pmatrix}$의 해 $(x(t),\ y(t),\ z(t))$에 대하여 $x''(0)+y''(0)+z''(0)$의 값은?

① 3 ② 4 ③ 7 ④ 8

Ans.②

14. 연립미분방정식 $\dfrac{dx}{dx}=x+2y,\ \dfrac{dy}{dx}=3x+2y,\ \begin{cases} x(0)=0 \\ y(0)=1 \end{cases}$ 의 해는 어느 것인가?

① $-\dfrac{2}{5}\begin{pmatrix}1\\-1\end{pmatrix}e^{-t}+\dfrac{1}{5}\begin{pmatrix}2\\3\end{pmatrix}e^{4t}$ ② $-\dfrac{2}{5}\begin{pmatrix}1\\-1\end{pmatrix}e^{-t}+\dfrac{1}{5}\begin{pmatrix}2\\3\end{pmatrix}e^{-4t}$

③ $-\dfrac{2}{4}\begin{pmatrix}1\\-1\end{pmatrix}e^{t}+\dfrac{1}{5}\begin{pmatrix}2\\3\end{pmatrix}e^{4t}$ ④ $-\dfrac{2}{5}\begin{pmatrix}1\\-1\end{pmatrix}e^{t}+\dfrac{1}{5}\begin{pmatrix}2\\3\end{pmatrix}e^{-4t}$

Ans.①

15. 미분방정식 $\begin{pmatrix}\dfrac{dx(t)}{dt}\\ \dfrac{dy(t)}{dt}\\ \dfrac{dz(t)}{dt}\end{pmatrix}=\begin{pmatrix}1&-1&4\\3&2&-1\\2&1&-1\end{pmatrix}\begin{pmatrix}x(t)\\y(t)\\z(t)\end{pmatrix}$의 일반해가 $Ae^{at}+Be^{bt}+Ce^{ct}$ 형태일 때, $a+b+c$의 값은? (단, A, B, C는 3×1행렬이다.)

① 1 ② 2 ③ 3 ④ 4

16. 연립미분방정식의 초깃값 문제 $x' = 2x - y$, $y' = -x + 2y$, $x(0) = 3$, $y(0) = 2$의 해 x, y에 대해 $x(1) + y(1)$의 값은?

① $2e$ ② $3e$ ③ $5e$ ④ $-5e$

Ans.③

17. 다음 연립미분방정식의 해 $(y_1(t), y_2(t))$의 첫 번째 성분 $y_1(t)$가 될 수 있는 것은?

$$\begin{cases} y_1'(t) = y_1(t) + y_2(t) \\ y_2'(t) = 4y_1(t) - 2y_2(t) \end{cases}$$

① $e^{2t} - e^{-3t}$ ② $2te^{-3t}$ ③ $-t$ ④ e^{-t}

Ans.①

(16 성균)

18. 미분방정식 $y''(t)=\begin{pmatrix}2&0\\0&2\end{pmatrix}y(t)+\begin{pmatrix}0&1\\1&0\end{pmatrix}y'(t)$의 일반해를 $\begin{pmatrix}y_1(t)\\y_2(t)\end{pmatrix}$라 할 때, $y_1(t)+y_2(t)$의 일반해는?

① $c_1e^t+c_2e^{2t}$ ② $c_1e^{-t}+c_2e^{-2t}$ ③ $c_1e^{-t}+c_2e^{2t}$ ④ $c_1e^t+c_2e^{-2t}$ ⑤ $c_1e^{-t}+c_2e^t$

Ans.③

(16 가천대)

19. 미분연립방정식 $\begin{cases}x'=y-x\\y'=x-y\end{cases}$, $x(0)=1, y(0)=0$을 만족하는 $x(t), y(t)$에 대하여 $x(2016)+y(2016)$의 값은?

① 1 ② 2 ③ 2015 ④ 2016

Ans.①

(14 인하대)

20. 연립미분방정식 $x'' = y, y'' = x$의 해 $x(t), y(t)$는 $\lim_{t\to\infty} x(t) = 0$, $\lim_{t\to\infty} y(t) = 0$을 만족한다. $x(0) - y(0)$의 값으로 가능한 수의 집합은?

① $\{0\}$ ② $\{e\}$ ③ $\{0, e\}$ ④ $\{0, 1, e\}$

Ans.①

(16 서강대)

21. $(x(t), y(t))$가 연립미분방정식 $\begin{cases} x'(t) = x(t) + 4y(t) \\ y'(t) = x(t) + y(t) \end{cases}$ 의 해이고, $(x(0), y(0)) \neq (0,0)$일 때, 극한 $\lim_{t\to\infty} \frac{x(t)}{y(t)}$ 의 값은?

① 0 ② 2 ③ -2 ④ 2 또는 -2 ⑤ ∞

Ans.④

(17 한양)

22. 연립미분방정식 $\begin{pmatrix} x'(t) \\ y'(t) \end{pmatrix} = \begin{pmatrix} 2 & 8 \\ -1 & -2 \end{pmatrix} \begin{pmatrix} x(t) \\ y(t) \end{pmatrix}$, $\begin{pmatrix} x(0) \\ y(0) \end{pmatrix} = \begin{pmatrix} 2 \\ -1 \end{pmatrix}$ 을 만족하는 연속함수 $x(t), y(t)$ 에 대하여 $x'\left(\frac{\pi}{2}\right) + x\left(\frac{\pi}{2}\right) + y'\left(\frac{\pi}{2}\right) + y\left(\frac{\pi}{2}\right)$ 의 값은?

① 3 ② 5 ③ 7 ④ 9

Ans.①

(18 성균)

23. 다음 연립 미분방정식 $y_1{}' = 2y_1 - 2y_2$, $y_2{}' = 2y_1 + 2y_2$ 은 $(y_1(0), y_2(0)) = (1,1)$을 만족한다. $\left(y_1\left(\frac{\pi}{2}\right), y_2\left(\frac{\pi}{2}\right)\right)$ 의 값은?

① $(-e^{\pi}, -e^{\pi})$ ② $(-e^{\pi}, e^{\pi})$ ③ $(-e^{\frac{\pi}{2}}, -e^{\frac{\pi}{2}})$ ④ $(e^{\frac{\pi}{2}}, -e^{\frac{\pi}{2}})$ ⑤ $(e^{\frac{\pi}{2}}, e^{\frac{\pi}{2}})$

Ans.①

(18 항공대)

24. 함수 $y_1(t)$와 $y_2(t)$가 $\dfrac{dy_1}{dt}=-y_1+4y_2$, $\dfrac{dy_2}{dt}=3y_1-2y_2$, 그리고 $y_1(0)=y_2(0)=\dfrac{1}{2}$을 만족할 때, $y_1(t)+y_2(t)$의 값은?

① e^{-2t} ② e^{2t} ③ e^{-t} ④ e^{t}

Ans.②

25. 다음 연립미분방정식의 일반해 $(x(t), y(t))$에서 $y(t)$는?
(단, c_1, c_2는 상수)

$$\begin{cases} x'(t)-x(t)+2y(t)=0 \\ 2x(t)-y(t)+y'(t)=0 \end{cases}$$

① $c_1e^{t}+c_2e^{3t}$ ② $c_1e^{t}+c_2e^{-3t}$ ③ $c_1e^{-t}+c_2e^{3t}$ ④ $c_1e^{-t}+c_2e^{-3t}$

*Ans.*③

(19 서강)

26. 다음 연립미분방정식에 대한 초깃값 문제의 해는?

$$\begin{bmatrix} y'_1 \\ y'_2 \end{bmatrix}=\begin{bmatrix} 0 & 1 \\ 2 & -1 \end{bmatrix}\begin{bmatrix} y_1 \\ y_2 \end{bmatrix},\ \begin{bmatrix} y_1(0) \\ y_2(0) \end{bmatrix}=\begin{bmatrix} 1 \\ 2 \end{bmatrix}$$

① $\frac{1}{2}e^{t}\begin{bmatrix} 1 \\ 1 \end{bmatrix}+\frac{1}{2}e^{-2t}\begin{bmatrix} 1 \\ 3 \end{bmatrix}$ ② $\frac{4}{3}e^{-2t}\begin{bmatrix} 1 \\ 1 \end{bmatrix}+\frac{1}{3}e^{t}\begin{bmatrix} -1 \\ 2 \end{bmatrix}$ ③ $\frac{4}{3}e^{t}\begin{bmatrix} 1 \\ 1 \end{bmatrix}+\frac{1}{3}e^{-2t}\begin{bmatrix} -1 \\ 2 \end{bmatrix}$

④ $\frac{1}{2}e^{t}\begin{bmatrix} 1 \\ 3 \end{bmatrix}+\frac{1}{2}e^{-2t}\begin{bmatrix} 1 \\ 1 \end{bmatrix}$ ⑤ $\frac{4}{3}e^{-t}\begin{bmatrix} 1 \\ 1 \end{bmatrix}+\frac{1}{3}e^{t}\begin{bmatrix} -1 \\ 2 \end{bmatrix}$

Ans.③

(13 인하)

27. 선형 연립 미분 방정식 $\begin{pmatrix} y_1' \\ y_2' \end{pmatrix} = \begin{pmatrix} 2a & -1 \\ 2 & -a \end{pmatrix}\begin{pmatrix} y_1 \\ y_2 \end{pmatrix}$의 해 $y_1(t)$, $y_2(t)$가 초기 조건에 관계없이 극한값 $\lim_{t \to \infty} y_1(t)$, $\lim_{t \to \infty} y_2(t)$를 갖도록 하는 a의 값의 범위는?

① $-2 \le a < -1$ ② $-1 \le a < 0$ ③ $0 < a \le 1$ ④ $1 < a \le 2$

Ans.②

(11 인하)

28. 함수 $y = f(x)$가 미분방정식 $y'' - xy' + 3y = 0$의 해 일 때, 다음 연립미분방정식 중에서 $y_1 = f(x)$, $y_2 = f'(x)$가 해인 것을 고르시오.

① $\begin{pmatrix} y_1' \\ y_2' \end{pmatrix} = \begin{pmatrix} 0 & 1 \\ -3 & x \end{pmatrix}\begin{pmatrix} y_1 \\ y_2 \end{pmatrix}$ ② $\begin{pmatrix} y_1' \\ y_2' \end{pmatrix} = \begin{pmatrix} 1 & 0 \\ -x & 3 \end{pmatrix}\begin{pmatrix} y_1 \\ y_2 \end{pmatrix}$ ③ $\begin{pmatrix} y_1' \\ y_2' \end{pmatrix} = \begin{pmatrix} 1 & -\frac{x}{2} \\ -3 & 3 \end{pmatrix}\begin{pmatrix} y_1 \\ y_2 \end{pmatrix}$ ④ $\begin{pmatrix} y_1' \\ y_2' \end{pmatrix} = \begin{pmatrix} -x & 3 \\ 1 & 0 \end{pmatrix}\begin{pmatrix} y_1 \\ y_2 \end{pmatrix}$

Ans.①

(12 인하)

29. x의 함수 y_1, y_2가 연립미분방정식 $\begin{pmatrix} y_1' \\ y_2' \end{pmatrix} = \begin{pmatrix} 2 & -1 \\ -1 & x \end{pmatrix} \begin{pmatrix} y_1 \\ y_2 \end{pmatrix}$의 해일 때, 다음 중 y_1이 만족하는 미분방정식을 고르면?

① $y'' - 2xy' + (2x-1)y = 0$ ② $y'' - (x+2)y' + (2x-1)y = 0$

③ $y'' + 2xy' - (2x-1)y = 0$ ④ $y'' + (x-2)y' + (2x-1)y = 0$

⑤ $y'' + (2x-1)y' + (x+2)y = 0$

Ans.②

(18 서강)

30. 미분방정식 $y'' + 2y' + \frac{3}{4}y = 0$ 을 연립 미분방정식 $\begin{pmatrix} y' \\ y'' \end{pmatrix} = \begin{pmatrix} a & b \\ c & d \end{pmatrix} \begin{pmatrix} y \\ y' \end{pmatrix}$ 으로 나타낼 수 있다. 행렬 $\begin{pmatrix} a & b \\ c & d \end{pmatrix}$ 의 고윳값을 λ_1, λ_2 라고 할 때, $a+b+c+d+\frac{\lambda_1}{\lambda_2}$ 의 값은?

(단, a, b, c, d 는 상수이고 $|\lambda_1| > |\lambda_2|$ 이다.)

① $\frac{3}{4}$ ② 1 ③ $\frac{5}{4}$ ④ $\frac{3}{2}$ ⑤ 2

Ans.③

(14 중앙대 공대)

31. 행렬 $X(t)$가 다음 미분방정식을 만족할 때, $X(1)$의 값은?

$$X'(t)=\begin{pmatrix}0&0&1\\0&1&0\\1&0&0\end{pmatrix}X(t),\ X(0)=\begin{pmatrix}1\\2\\5\end{pmatrix}$$

① $\begin{pmatrix}e\\2e\\5e\end{pmatrix}$ ② $\begin{pmatrix}-2e^{-1}+3e\\2e\\2e^{-1}+3e\end{pmatrix}$ ③ $\begin{pmatrix}-2e^{-1}\\2e\\3e\end{pmatrix}$ ④ $\begin{pmatrix}1\\1\\1\end{pmatrix}$

Ans.②

(16 중대 공대)

32. 연립미분방정식 $y_1'=-3y_1+2y_2$, $y_2'=-2y_1+2y_2$, $y_1(0)=0, y_2(0)=1$을 만족하는 $y_1(t), y_2(t)$에 대해서 $y_1(1)+y_2(1)$의 값은?

① $2e-e^{-3}$ ② $2e-3e^{-3}$ ③ $2e-e^{-2}$ ④ $2e-3e^{-2}$

Ans.③

(17 숭실대)

33. 연립미분방정식 $\begin{bmatrix} y'_1 \\ y'_2 \end{bmatrix} = \begin{bmatrix} 1 & 2 \\ -1 & 4 \end{bmatrix} \begin{bmatrix} y_1 \\ y_2 \end{bmatrix}$, $\begin{bmatrix} y_1(0) \\ y_2(0) \end{bmatrix} = \begin{bmatrix} 1 \\ -1 \end{bmatrix}$의 해 y_1, y_2에 대해 $y_1(1) - y_2(1)$은?

① $\frac{1}{2}e^2$ ② $6e^3$ ③ $2e^2$ ④ $2e^2 + 2e^3$

Ans.③

(18 과기대)

34. 연립미분방정식 $y_1' = y_1 - y_2$, $y_2' = 2y_1 + 4y_2$, $y_1(0) = 0$, $y_2(0) = 1$에서 $y_1(\ln 2) + y_2(\ln 3)$은?

① 10 ② 14 ③ 41 ④ 59

Ans.③

(20 숭실대)

35. 초깃값 $\begin{pmatrix} y_1(0) \\ y_2(0) \end{pmatrix} = \begin{pmatrix} 3 \\ A \end{pmatrix}$을 만족하는 연립미분방정식 $\begin{bmatrix} y_1' \\ y_2' \end{bmatrix} = \begin{bmatrix} -1 & 1 \\ 4 & -1 \end{bmatrix} \begin{bmatrix} y_1 \\ y_2 \end{bmatrix}$ 의 해 $y_1(t), y_2(t)$에 대하여 $\lim_{t\to\infty} y_1(t) = \lim_{t\to\infty} y_2(t) = 0$이 성립하는 A의 값은?

① -6 ② -3 ③ 3 ④ 6

Ans.①

(17홍대)

36. 다음 연립 선형미분방정식 $\frac{dy_1}{dt} = 2y_1 - 7y_2$, $\frac{dy_2}{dt} = y_1 - 3y_2$ 의 초기조건 $\vec{y}(0) = (y_1(0), y_2(0)) \neq (0,0)$이 주어졌을 때, $t \to \infty$에 따른 해 $\vec{y}(t) = (y_1(t), y_2(t))$의 변화에 대한 옳은 설명을 고르시오.

① $\vec{y}(0)$이 원점에 충분히 가까울 경우, $\vec{y}(t)$는 주기함수이다.
② $\vec{y}(0)$에 관계없이 $\vec{y}(t)$는 항상 원점으로 수렴이다.
③ $\vec{y}(0)$에 따라, $\vec{y}(t)$는 원점으로 수렴하는 경우도 있고, 무한대로 발산하는 경우도 있다.
④ $\vec{y}(0)$에 관계없이 $\vec{y}(t)$는 항상 무한대로 발산한다.

Ans.②

37. 연립미분방정식 $\begin{cases} y_1' = y_1 - 4y_2 \\ y_2' = y_1 + 5y_2 \end{cases}$, $y_1(0)=4$, $y_2(0)=-3$에 대하여 y_1+y_2는?

① $-2e^{3t}$ ② $2te^{3t}$ ③ $(t+1)e^{3t}$ ④ $(2t+1)e^{3t}$

Ans. ④

38. 미분방정식 $X'(t)=\begin{pmatrix} 0 & 2 & -1 \\ 2 & 3 & -2 \\ -1 & -2 & 0 \end{pmatrix}X(t)$, $X(0)=\begin{pmatrix} 1 \\ -2 \\ 3 \end{pmatrix}$의 일반해를 $X(t)=\begin{pmatrix} x_1(t) \\ x_2(t) \\ x_3(t) \end{pmatrix}$라 할 때, $x_1(1)+x_2(1)+x_3(1)$의 값을 구하면?

① $2e^{-1}$ ② $3e^{-1}+2e^5$ ③ $4e^{-1}-2e^5$ ④ $1+6e^5$

Ans. ③

중대
39. 연립미분방정식 $y'_1 = -5y_1 - y_2$, $y'_2 = 4y_1 - y_2$, $y_1(1)=0$, $y_2(1)=1$을 만족하는 $y_1 = y_1(x)$, $y_2 = y_2(x)$에 대해서 $y_1(2), y_2(2)$가 바르게 짝지어진 것은?

① $e^{-3}, 3e^{-3}$ ② $-e^{-3}, 2e^{-3}$ ③ $-e^{-3}, 3e^{-3}$ ④ $e^{-3}, 2e^{-3}$

*Ans.*③

22한양
40. 연립미분 방정식 $\begin{cases} x'(t)=y(t) \\ y'(t)=-x(t)-2y(t) \end{cases}$ 의 해 $\begin{pmatrix} x(t) \\ y(t) \end{pmatrix}$가 초기조건 $\begin{pmatrix} x(0) \\ y(0) \end{pmatrix}=\begin{pmatrix} 1 \\ 2 \end{pmatrix}$를 만족할 때, $x(2)+y(2)$의 값은?

① $-2e^{-2}$ ② $-e^{-2}$ ③ e^{-2} ④ $2e^{-2}$ ⑤ $3e^{-2}$

*Ans.*⑤

＊ 비제차 연립미분방정식

(17한양)

1. 연립미분방정식 $\begin{pmatrix} x'(t) \\ y'(t) \end{pmatrix} = \begin{pmatrix} 6 & 7 \\ 2 & 1 \end{pmatrix} \begin{pmatrix} x(t) \\ y(t) \end{pmatrix} + \begin{pmatrix} 4t \\ -4t+\frac{8}{3} \end{pmatrix}$ 에 대한 특수해 $\begin{pmatrix} x_p(t) \\ y_p(t) \end{pmatrix}$ 에 대하여 $x_p{}'(0)+y_p(0)$ 의 값은?

① −10 ② −4 ③ 0 ④ 10

Ans.④

(19한양)

2. 연립미분방정식 $\begin{cases} x' = y \\ y' = z \\ z' = -\dfrac{11}{2}z - 6y + \dfrac{9}{2}x + 9t^2 - 24t - 22 \end{cases}$ 의 해

$x(t), y(t), z(t)$가 초기조건 $x(0)=5,\ y(0)=0,\ z(0)=0$을 만족할 때, $x(1)-2y(1)$의 값은?

① $6e^{-3}+6$ ② $12e^{-3}+6$ ③ $6e^{-3}+12$ ④ $6\sqrt{e}+12$ ⑤ $12\sqrt{e}+6$

Ans.②

(한양)

3. 초깃값 $\begin{pmatrix} x_1(0) \\ x_2(0) \end{pmatrix} = \begin{pmatrix} -\dfrac{5}{3} \\ \dfrac{1}{\sqrt{3}} \end{pmatrix}$ 을 만족하는 미분방정식 $\begin{cases} \dfrac{dx_1}{dt} = x_1 + \sqrt{3}x_2 + e^t \\ \dfrac{dx_2}{dt} = \sqrt{3}x_1 - x_2 + \sqrt{3}e^{-t} \end{cases}$ 에서 $\begin{pmatrix} x_1(1) \\ x_2(1) \end{pmatrix}$ 는?

① $\begin{pmatrix} \sqrt{3}e - e^{-1} \\ e - \sqrt{3}e^{-1} \end{pmatrix}$ ② $\begin{pmatrix} \sqrt{3}e^2 - e^{-2} \\ e^2 - \sqrt{3}e^{-2} \end{pmatrix}$ ③ $\begin{pmatrix} \dfrac{-2}{3}e - e^{-1} \\ \dfrac{-\sqrt{3}}{3}e + \dfrac{2\sqrt{3}}{3}e^{-1} \end{pmatrix}$ ④ $\begin{pmatrix} e - \dfrac{2}{3}e^{-2} \\ e^2 + \dfrac{2\sqrt{3}}{3}e^{-2} \end{pmatrix}$

Ans.③

(20중대)

4. 연립미분방정식 $x'(t) = y(t) + e^{2t}$, $y'(t) = x(t) - 3e^{2t}$, $x(0) = -\dfrac{7}{3}$,

$y(0) = -\dfrac{5}{3}$를 만족하는 $x(t)$, $y(t)$에 대하여 $x(1) + y(1)$의 값은?

① $2e + 2e^2$ ② $2e - 2e^2$ ③ $-2e + 2e^2$ ④ $-2e - 2e^2$

Ans.④

(19 중대공대)

5. 연립 미분 방정식 $x'(t)=t-y(t), y'(t)=x(t)-t, x(0)=3, y(0)=3$을 만족하는 $x(t), y(t)$에 대하여 $x(\pi)+y(\pi)$의 값은?

① $-2\pi-6$ ② $-2\pi-4$ ③ $2\pi-6$ ④ $2\pi-4$

Ans.③

(한양)

6. 연립미분방정식

$$\begin{pmatrix} \frac{dx(t)}{dt} \\ \frac{dy(t)}{dt} \end{pmatrix} = \begin{pmatrix} -2 & 1 \\ 1 & -2 \end{pmatrix} \begin{pmatrix} x(t) \\ y(t) \end{pmatrix} + \begin{pmatrix} 2e^{-t} \\ 3t \end{pmatrix}$$ 의 특수해가 $Ate^{at}+Be^{at}+Ct+D$형태 일 때,

$A+B+C+D$성분의 합은?(단, A, B, C, D는 2×1 행렬이고, a는 실수이다.)

① 1 ② 2 ③ 3 ④ 4

Ans.②

7. 다음 연립미분방정식의 일반해 $(x(t), y(t))$에서 $y(t)$는? (단, c_1, c_2는 상수)

$$\begin{cases} x(t) - y(t) + y'(t) = 0 \\ x'(t) + 3x(t) - 4y(t) = -e^{-t}\ln t \end{cases}$$

① $c_1 e^{-t} + c_2 t e^{-t} + \frac{1}{2}t^2 e^{-t}\ln t + \frac{3}{2}t^2 e^{-t}$

② $c_1 e^{-t} + c_2 t e^{-t} + \frac{1}{2}t^2 e^{-t}\ln t - \frac{3}{2}t^2 e^{-t}$

③ $c_1 e^{-t} + c_2 t e^{-t} + \frac{1}{2}t^2 e^{-t}\ln t + \frac{3}{4}t^2 e^{-t}$

④ $c_1 e^{-t} + c_2 t e^{-t} + \frac{1}{2}t^2 e^{-t}\ln t - \frac{3}{4}t^2 e^{-t}$

Ans.④

(15중대공대)

8. 미분연립방정식 $\begin{cases} \frac{d^2x}{dt^2} + \frac{d^2y}{dt^2} = t^2 \\ \frac{d^2x}{dt^2} - \frac{d^2y}{dt^2} = 4t \end{cases}$, $x(0) = 8,\ x'(0) = 0, y(0) = 0,\ y'(0) = 0$을 만족하는 $x(t),\ y(t)$에 대해서 $x(1) + y(1)$의 값은?

① $\frac{97}{12}$ ② $\frac{101}{24}$ ③ $\frac{65}{3}$ ④ $\frac{85}{8}$

Ans.①

(18 한양)

9. $\begin{cases} 2\dfrac{dx}{dt}+\dfrac{dy}{dt}-y=t \\ \dfrac{dx}{dt}+\dfrac{dy}{dt}=t^2 \end{cases}$, $x(0)=1,\, y(0)=0$ 을 만족하는 함수 $x(t), y(t)$ 에 대하여

$x(1)+y(1)=\dfrac{p}{q}$ (단, p와 q는 서로소)일 때, $p+q$ 의 값은?

Ans. 7

(16중대공대)

10. 다음 미분방정식을 만족하는 벡터함수 $X(t)$에서 $X(1)$를 구하면? (단, c_1, c_2는 임의의 상수이다.

$X'(t)=\begin{pmatrix} 5 & 9 \\ -1 & 11 \end{pmatrix}X(t)+\begin{pmatrix} 2 \\ 6 \end{pmatrix},\ X(0)=\begin{pmatrix} 0 \\ 1 \end{pmatrix}$

① $\dfrac{1}{2}\begin{pmatrix} 1+29e^8 \\ -1+13e^8 \end{pmatrix}$ ② $\dfrac{1}{2}\begin{pmatrix} 1+24e^8 \\ -1+13e^8 \end{pmatrix}$ ③ $\dfrac{1}{2}\begin{pmatrix} 1+24e^8 \\ -1+8e^8 \end{pmatrix}$ ④ $\dfrac{1}{2}\begin{pmatrix} 1+29e^8 \\ -1+8e^8 \end{pmatrix}$

Ans.①

17한양

11. [주관식] 연립미분방정식

$\begin{pmatrix} x'(t) \\ y'(t) \end{pmatrix} = \begin{pmatrix} -3 & 1 \\ 2 & -4 \end{pmatrix} \begin{pmatrix} x(t) \\ y(t) \end{pmatrix} + \begin{pmatrix} 3t \\ e^{-t} \end{pmatrix}$ 에 대한 특수해 $\begin{pmatrix} x_p(t) \\ y_p(t) \end{pmatrix}$ 에 대하여 $100{x_p}'(0) + 100{y_p}'(0)$

의 값은 $\boxed{}$ 이다.

$Ans.$ 105

(15중대공대)

12. 다음 미분방정식을 만족하는 벡터함수 $X(t)$를 구하면? (단, C_1, C_2 는 임의의 상수이다.)

$$X'(t)=\begin{pmatrix} 1 & -10 \\ -1 & 4 \end{pmatrix}X(t)+\begin{pmatrix} e^t \\ \sin t \end{pmatrix}$$

① $\begin{pmatrix} 5C_1e^{-t}-2C_2e^{6t}+\frac{3}{10}e^t+\frac{35}{37}\sin t-\frac{25}{37}\cos t \\ C_1e^{-t}+C_2e^{6t}+\frac{1}{10}e^t+\frac{1}{37}\sin t-\frac{6}{37}\cos t \end{pmatrix}$

② $\begin{pmatrix} 5C_1e^{-t}-2C_2e^{6t}+\frac{3}{10}e^t-\frac{35}{37}\sin t-\frac{25}{37}\cos t \\ C_1e^{-t}+C_2e^{6t}+\frac{1}{10}e^t-\frac{1}{37}\sin t-\frac{6}{37}\cos t \end{pmatrix}$

③ $\begin{pmatrix} 5C_1e^{-t}-2C_2e^{6t}+\frac{3}{10}e^t-\frac{35}{37}\sin t+\frac{25}{37}\cos t \\ C_1e^{-t}+C_2e^{6t}+\frac{1}{10}e^t-\frac{1}{37}\sin t+\frac{6}{37}\cos t \end{pmatrix}$

④ $\begin{pmatrix} 5C_1e^{-t}-2C_2e^{6t}+\frac{3}{10}e^t-\frac{35}{37}\sin t-\frac{25}{37}\cos t \\ C_1e^{-t}+C_2e^{6t}+\frac{1}{10}e^t-\frac{1}{37}\sin t-\frac{6}{37}\cos t \end{pmatrix}$

Ans.①

(14 국민대)

13. 연립 미분방정식 $2x' - y' + 3x = 0,\ y'' - 2y' + 3x' + 2x = 4$

$x(0)=0, y(0)=0, y'(0)=0$의 해 $x(t), y(t)$에 대하여 $x(1)-2y(1)$의 값은?

① $12-6e$ ② $6-12e$ ③ $12+6e$ ④ $6+12e$

Ans.①

14. 연립미분방정식 $\begin{pmatrix} x'(t) \\ y'(t) \end{pmatrix} = \begin{pmatrix} 0 & -1 \\ 1 & 0 \end{pmatrix}\begin{pmatrix} x(t) \\ y(t) \end{pmatrix} + \begin{pmatrix} 3 \\ 0 \end{pmatrix}$ 의 해 $\begin{pmatrix} x(t) \\ y(t) \end{pmatrix}$가 초기조건 $\begin{pmatrix} x(0) \\ y(0) \end{pmatrix} = \begin{pmatrix} 3 \\ -4 \end{pmatrix}$를 만족할 때, $-x(\pi)+3y(\pi)$의 값은?

① 11 ② 22 ③ 33 ④ 44 ⑤ 55

Ans.③

*임계점

y_1이 자율 미분방정식 $\dfrac{dy}{dx} = y' = f(y)$의 임계점이라고 하자.

(1) $f'(y_1) < 0$이면 y_1은 안정 임계점이다.

(2) $f'(y_1) > 0$이면 y_1은 불안정 임계점이다.

(단, 여기서 f는 y_1에서 미분가능하다.)

*벡터방정식 $AV = \lambda V$에서 행렬 $A = \begin{pmatrix} a & b \\ c & d \end{pmatrix}$라 할 때 다음이 성립한다.

1) 나선점 : $tr(A) \neq 0, (a-d)^2 + 4bc < 0$ (λ가 복소수 일 때)

2) 중심점 : $tr(A) = 0, |A| > 0$ (λ가 순허수일 때)

3) 안(장)점 : $|A| < 0$ (λ가 서로 다른 두 실근이고 부호가 반대일 때)

4) 마디점(절점) : $|A| > 0$ (λ가 두 실근이고 같은 부호일 때 또는 λ가 이중근일 때)

*임계점의 안정성 판단

i)안정하고 흡입적 : $tr(A) < 0, |A| > 0$

ii) 안정 : $tr(A) \leq 0, |A| > 0$

iii) 불안정 : $tr(A) > 0$

(18홍대)

1. 미분방정식 $\dfrac{dy}{dx} = (y-1)(y-2)(y-3)$의 안정적 임계점(stable equilbrium)을 찾으시오.

① 1　② 2　③ 3　④ 존재하지 않는다.

Ans.②

(18성대)

2. 미분방정식 $y' = y^2 - 4y + 3$ 의 해 $y(t)$가 $1 < y(0) < 3$ 을 만족할 때 $\lim_{t\to\infty} y(t)$은?

① 0 ② 1 ③ 2 ④ 3 ⑤ ∞

Ans.②

(18성대)

3. 미분방정식 $y'' + 2y' + 2y = \cos 2t$ 의 해가 $y(0) = 1, y'(0) = 0$ 을 만족할 때 안정상태해의 $t = \frac{\pi}{2}$에서 함숫값은?

① $\frac{13}{10}e^{-\frac{\pi}{2}} + \frac{1}{10}$ ② $\frac{13}{10}e^{-\frac{\pi}{2}}$ ③ $\frac{1}{10}$ ④ $-\frac{2}{10}$ ⑤ $\frac{11}{13}e^{-\frac{\pi}{2}} - \frac{2}{10}$

Ans.③

(13광운)

4. 다음에 주어진 초깃값 문제의 해 $y(t)$에 대한 설명 중 옳은 것을 모두 고르면?

$$y' = y - y^2,\ y(0) = a,\ a > 0$$

ⓐ $\lim_{t\to\infty} y(t) = 1$이다.
ⓑ $\lim_{t\to\infty} y(t) = \infty$이다.
ⓒ $a > 1$이면 $y(t)$는 감소함수이다.
ⓓ $0 < a < 1$ 이면 $y(t)$는 증가함수이다.

(1) ⓐⓒ (2) ⓐⓓ (3) ⓑⓓ (4) ⓒⓓ (5) ⓐⓒⓓ

Ans. (5)

(21성대)

5. 다음 미분방정식의 해의 형태로 적합한 것은?

$$\frac{dy}{dx} = -2xy$$

① 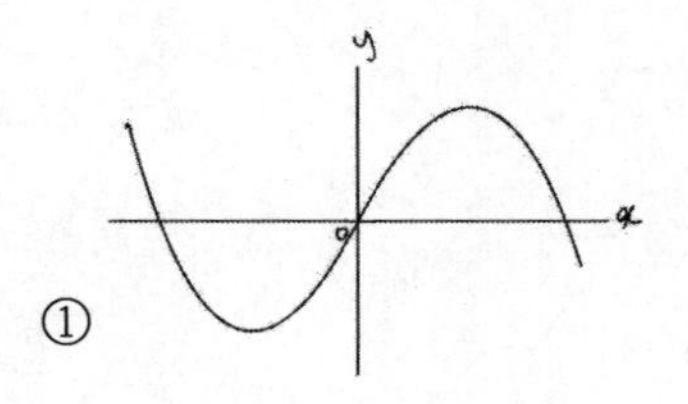

② 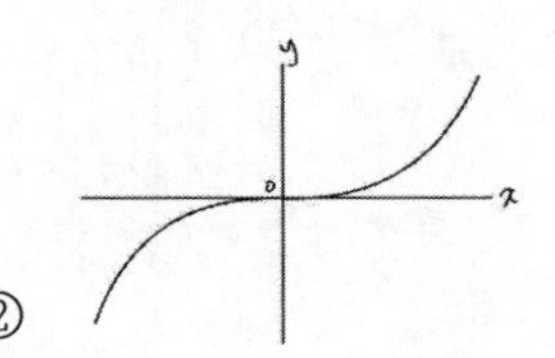

③ 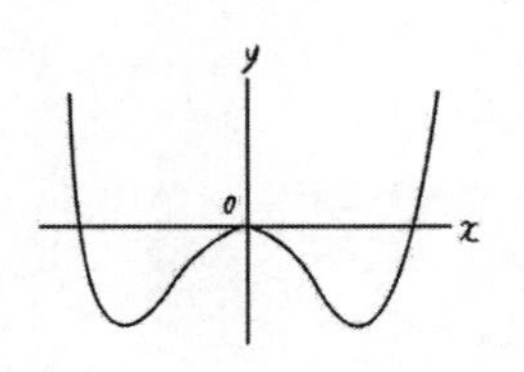

④ 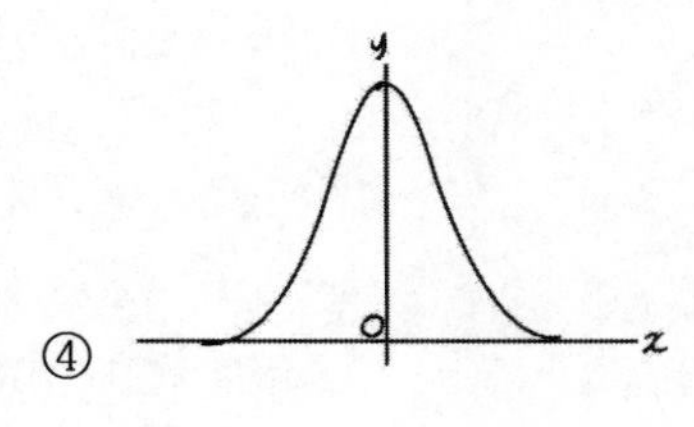

⑤ 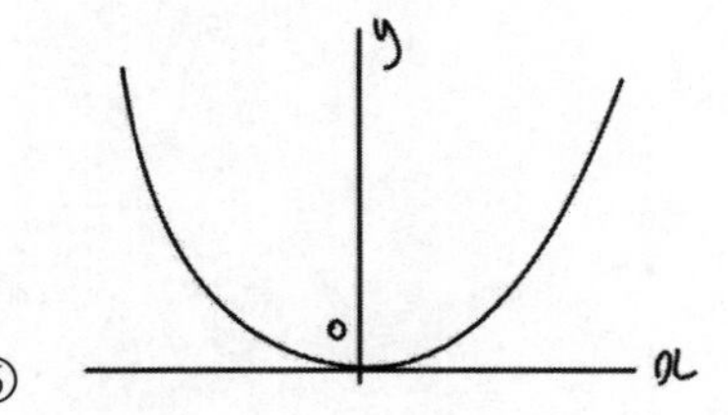

(21성대)

6. 미분방정식 $\dfrac{dx}{dt}=f(x)$의 몇 개의 해(굵은 실선)가 다음 그림과 같을 때 $f(x)$의 식으로 타당한 것은?

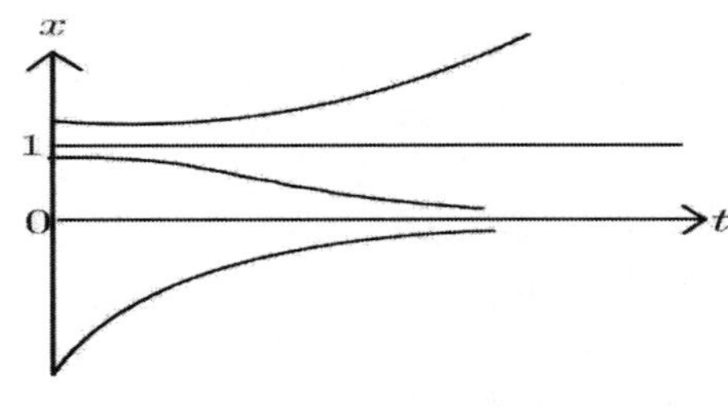

① $-x(x-1)$ ② $x^2(x-1)$ ③ $2x(x-1)$ ④ $x(x-1)^2$ ⑤ $-2x(x-1)^2$

(21성대)

7. 다음은 서로 다른 a값에 대해 초깃값 문제 $\dfrac{d^2y}{dt^2}+a\dfrac{dy}{dt}+y=0,\ y(0)=1,\ y'(0)=0$의 해의 움직임(behavior)을 설명한 것이다. 이 중 옳지 않은 것은?

① $a=1$: 진동하면 감소한다.
② $a=0$: 감소하거나 증가하지 않으면 계속 진동한다.
③ $a=-1$: 진동하면 증가한다.
④ $a=2$: 진동 없이 증가한다.
⑤ $a=2\sqrt{2}$: 진동 없이 감소한다.

(15서강)

8. 어떤 개체의 수 $P(t)$ 가 적당한 양수 a, b에 대하여, 다음의 인구 모형을 따른다고 하자.
$\frac{dP}{dt} = P(a - b\ln P),\ P(0) = P_0$ 아래의 설명 중에서 맞는 것을 모두 고르면?

> 가. $P_0 = e^{a/b}$이면 모든 양수 t에 대하여 $P(t) = e^{a/b}$이다.
> 나. $P_0 < e^{a/b}$이면 모든 양수 t에 대하여 $P(t) < e^{a/b}$이다.
> 다. 임의의 양수 P_0 에 대하여 $\lim_{t \to \infty} P(t) = e^{a/b}$ 이다.

① 가, 나 ② 나, 다 ③ 가, 다 ④ 가, 나, 다

Ans.④

(16 중대)

9. 다음 연립미분방정식들 중 임계점이 안정적인 것은?

① $\begin{aligned} y_1' &= 2y_1 + 3y_2 \\ y_2' &= 2y_1 + y_2 \end{aligned}$ ② $\begin{aligned} y_1' &= -6y_1 - y_2 \\ y_2' &= -9y_1 - 6y_2 \end{aligned}$ ③ $\begin{aligned} y_1' &= \frac{3}{2}y_1 + \frac{1}{4}y_2 \\ y_2' &= -y_1 + \frac{1}{2}y_2 \end{aligned}$ ④ $\begin{aligned} y_1' &= 6y_1 + 3y_2 \\ y_2' &= -4y_1 - y_2 \end{aligned}$

Ans.②

10. 연립 미분방정식 $\frac{dx}{dt}=-x(t)$, $\frac{dy}{dt}=y(t)$의 해 (x,y)의 증가, 감소를 나타내는 정성적 행동(Eualitative behavior)을 생각할 때, 원점(0, 0)을 맞게 기술 한 것은?

① 안정점(Stable Point) ② 불안정점(Unstable Point)
③ 안점(Saddle Point) ④ 중심(Center)

Ans.③

(16중대, 과기대)
11. 연립미분방정식 $y_1{}'=y_1-y_2^2$, $y_2{}'=y_1y_2-y_2$의 임계점을 구하고, 선형화하여 임계점의 유형을 판별하였을 때, 임계점과 그 유형이 바르게 짝지어진 것은?
① $(0,0)$, 나선점 ② $(0,0)$, 중심 ③ $(1,-1)$, 나선점 ④ $(1,1)$, 중심

Ans.③

* 1) $y=\sum_{n=0}^{\infty}a_nx^n$: $x=0$에서 미분가능(해석적)

2) $y=\sum_{n=0}^{\infty}a_n(x-x_0)^n$: $x=x_0$에서 미분가능(해석적)

i) $y''+P(x)y'+Q(x)y=0$에서 $x=x_0$에서 해석적이면 $x=x_0$를 정상점(보통점)이고 급수해 $y=\sum_{n=0}^{\infty}a_n(x-x_0)^n$의 해를 갖는다.

ii) $y''+P(x)y'+Q(x)y=0$에서 $x=x_0$에서 비해석적(특이점)인 경우,

$(x-x_0)P(x), (x-x_0)^2Q(x)$가 $x=x_0$에서 해석적이 되면 $x=x_0$은 정칙특이점이며 급수해 $y=\sum_{n=0}^{\infty}a_n(x-x_0)^{n+r}$를 갖는다.

(22성대)

12. 아래 미분방정식의 모든 정칙특이점 (regular singular point)을 구하면?

$x(x-1)^2(x+2)^3(x-2)^2y''-(x-1)(x+2)^2y'+xy=0$

① $-2, 1$ ② $0, 1$ ③ $0, 2$ ④ $-1, 0, 1$ ⑤ $0, 1, 2$

*고윳값과 고유함수

경계값조건을 갖는 *Sturm − Liouville* 방정식을 만족하는 0이 아닌 해를 주어진 *Sturm − Liouville* 문제의 고유함수(*eigen function*)라 하고, 고유함수가 존재하는 λ를 고윳값(*eigen − value*)이라 한다.

(13 홍대)

1. $y'' + ky = 0, y(0) = 0, y'(1) = 0$의 고윳값이 아닌 것을 고르시오.

① π^2 ② $\dfrac{\pi^2}{4}$ ③ $\dfrac{9\pi^2}{4}$ ④ $\dfrac{25}{4}\pi^2$

Ans.①

(16 서강)

2.멱급수 형태의 함수 $y = \sum_{k=0}^{\infty} c_k x^{k+r}$ (r, c_k는 상수) 가

미분방정식 $x^2 y'' + xy' + \left(x^2 - \dfrac{1}{4}\right)y = 0, 0 < x < \infty$ 의 해라 하자.

$c_0 = 1$이고 $c_1 \neq 0$일 때, $r + c_2$ 의 값은?

① 0 ② $\dfrac{1}{2}$ ③ $-\dfrac{1}{2}$ ④ 1 ⑤-1

Ans.⑤

(19 단국)

3. 미분방정식 $x^2y'' - 2xy' + 2y = 3\sin(\ln x^2)\,(x > 0)$ 의
해 $y = f(x)$가 $f(1) = \frac{9}{20}$, $f'(1) = -\frac{3}{10}$ 을 만족시킬 때, $f(e^{\pi}) + f(e^{\pi/4})$ 의 값은?

① $\frac{3}{10}$ ② $\frac{7}{20}$ ③ $\frac{2}{5}$ ④ $\frac{9}{20}$

Ans.①

(19중대공대)

4. $x = x(t)$가 미분방정식 $x' = x\sin t + 2te^{-\cos t}$, $x(0) = 0$의 해일 때, $x(\pi)$의 값은?

① $\pi^{-2}e$ ② $\pi^{-2}e^{-1}$ ③ $\pi^2 e$ ④ $\pi^2 e^{-1}$

Ans.③

(18중대공대)

5. $y=y(x)$가 미분방정식 $y'+3x^2y=x^2$의 해일 때, $\lim_{x\to\infty} y(x)$의 값은?

① 1/3 ② −1/3 ③ 1/6 ④ −1/6

Ans.①

(20 광운)

6. 다음 초깃값 문제의 해는?

$y'=x-y, y(0)=0$ (변수 변환 $z=x-y$를 이용)

① $e^{-x}+x+1$ ② $e^{x}+x-1$ ③ $e^{-x}-x-1$ ④ $e^{x}-x-1$ ⑤ $e^{-x}+x-1$

Ans.⑤

(15 중대 공대)

7. 미분방정식 $y''-4y'+53y=0, y(\pi)=-3, y'(\pi)=2$의 해를 구하면?

① $y=e^{2(x-\pi)}\left[\frac{3}{2}\cos(7x)-\frac{8}{7}\sin(7x)\right]$ ② $y=e^{2(x-\pi)}\left[\frac{3}{2}\cos(7x)+\frac{8}{7}\sin(7x)\right]$

③ $y=e^{2(x-\pi)}\left[3\cos(7x)-\frac{8}{7}\sin(7x)\right]$ ④ $y=e^{2(x-\pi)}\left[3\cos(7x)+\frac{8}{7}\sin(7x)\right]$

Ans.③

(15중대 공대)

8. $y=y(x)$가 미분방정식 $x^2y''-5xy'+10y=0, y(1)=4, y'(1)=-6$의 해일 때, $y(e)$의 값은?

① $-18e^3\sin(1)$ ② $4e^3\cos(e)$ ③ $4e^3\cos(e)-18e^3\sin(e)$ ④ $4e^3\cos(1)-18e^3\sin(1)$

Ans.④

(15중대 공대)

9. 미분방정식 $\sqrt{x}\,dy+\left(y-e^{-2\sqrt{x}}\right)dx=0, y(1)=1$의 해를 구하면?

① $y=\left(3\sqrt{x}+e^2-3\right)e^{-2\sqrt{x}}$ ② $y=\left(2\sqrt{x}+e^2-2\right)e^{-2\sqrt{x}}$

③ $y=\left(2\sqrt{x}+e^2-2\right)e^{2\sqrt{x}}$ ④ $y=\left(-2\sqrt{x}+e^2+2\right)e^{-2\sqrt{x}}$

Ans.②

(15중대 공대)

10. $y=y(x)$가 미분방정식 $y'=\frac{1}{x}y^2+\frac{1}{x}y-\frac{2}{x}$, $y(1)=2$의 해일 때, $y(2)$의 값은?

① $\frac{3}{4}$ ② -5 ③ $\frac{2}{3}$ ④ 1

Ans.②

(20 항공)

11. 미분방정식 $x^2y''+P(x)y'-6y=0$의 하나의 해가 x^2일 때, $P(x)$를 구하여 미분방정식을 완성하고, 함수 $y(x)$가 완성된 미분방정식과 조건 $y(1)=1, y'(1)=0$을 만족할 때, $y(2)$의 값을 구하시오.

① $\frac{49}{20}$ ② $\frac{51}{20}$ ③ $\frac{53}{20}$ ④ $\frac{55}{20}$

Ans.①

(16 광운)

12. 모든 실수의 집합에서 정의된 일변수 함수 f가 두 번 미분가능하고, 이계도함수가 연속이라고 하자. 이 때 다음과 같이 정의된 이변수 함수 $\phi(x,y)$가 만족시키는 방정식은?

$$\phi(x,y)=e^{-\frac{x}{4}}f(3x-4y)$$

① $\phi_{xy}=0$ ② $3\phi_y=4\phi_x$ ③ $3\phi_{yy}=4\phi_{xy}$ ④ $4\phi_y-3\phi_x+\frac{1}{4}\phi=0$ ⑤ $4\phi_x+3\phi_y+\phi=0$

Ans.⑤

(21한양)

13. 미분방정식 $x'(t)+3x(t)=4$의 해 $x(t)$가 초기조건 $x(0)=5$를 만족할 때, $\lim_{t\to\infty}x(t)$의 값은?

① $\frac{3}{4}$ ② $\frac{4}{5}$ ③ $\frac{4}{3}$ ④ $\frac{3}{2}$ ⑤ $\frac{5}{3}$

(21한양)

14. 미분방정식 $xx''-(x')^2-2tx^2=0$의 해 $x(t)$가 조건 $x(0)=2$, $x'(0)=2$를 만족할 때, $x(3)$의 값은?

① $2e^{12}$ ② $2e^{14}$ ③ $2e^{16}$ ④ $2e^{18}$ ⑤ $2e^{20}$

(21한양)

15. 연립 미분방정식 $\begin{cases} x'(t) = x(t) + y(t) + 2e^{-t} \\ y'(t) = 4x(t) + y(t) + 4e^{-t} \end{cases}$ 의 해 $\begin{pmatrix} x(t) \\ y(t) \end{pmatrix}$가 초기조건 $\begin{pmatrix} x(0) \\ y(0) \end{pmatrix} = \begin{pmatrix} 3 \\ 6 \end{pmatrix}$을 만족할 때, $2x(\ln 2) + y(\ln 2)$의 값은?

① 102 ② 105 ③ 108 ④ 111 ⑤ 114

(21한양)

16. 어떤 수학자는 은하계 생명체의 개체 수 $x(t)$가 미분방정식 $\begin{cases} \dfrac{d^2x}{dt^2} + 5\dfrac{dx}{dt} + 6x = 0 \\ x(0) = 5 \times 10^{21}, x'(0) = -8 \times 10^{21} \end{cases}$ 을 따라 감소한다고 예측하였다. 이 수학자의 예측에 따른 $t = 10$일 때 개체 수 $x(10)$의 값은?

① $10^{21}(8e^{-20} - e^{-30})$ ② $10^{21}(7e^{-20} - 2e^{-30})$ ③ $10^{21}(6e^{-20} - 3e^{-30})$
④ $10^{21}(5e^{-20} - 4e^{-30})$ ⑤ $10^{21}(4e^{-20} - 5e^{-30})$

*모델링
(1). 개체수(양)변화(반감기)공식 : $\frac{dy}{dt}=ky$ (단, k는 비례상수) $\Rightarrow y=ce^{kt}$
(2). 뉴턴의 냉각법칙 공식 : $\frac{dT}{dt}=k(T(t)-T_{주변})\Leftrightarrow T(t)=J+ce^{kt}$
(3). 물질의 혼합(소금물)공식 : 소금의 변화량 = 유입된 소금의 양 − 유출된 소금의 양
(4). $Torricelli$의 법칙 공식 : $\frac{dh}{dt}=-26.56\frac{A}{B}\sqrt{h}\Leftrightarrow h'=-0.6\frac{A}{B}\sqrt{2gh}$
(A : 구멍의 면적, B : 탱크(원기둥, 구, 사각기둥 …)의 단면적

(12국민)
1.어떤 미생물 배양기에 100개의 개체를 넣어두고 60분 후에 관찰하였더니 개체 수가 500개로 늘어났다. 이 미생물이 증식하는 비율은 현재의 개체 수에 비례한다. 즉, $y(t)$를 시간 t에서의 개체수라 하면 시간에 따른 개체수의 변화율 $y'(t)$는 다음 관계식을 만족한다.

$$y'(t)=ky(t)\ ,\ k: 증식상수$$

처음 100개의 개체가 2500개가 될 때까지 걸리는 시간은?
① 300분 ② 240분 ③ 180분 ④ 120분

Ans.④

(11아주)
2.배양기속에 100마리의 박테리아가 들어 있다. 박테리아의 증가속도는 박테리아의 수에 비례한다. 2시간 후 박테리아의 수가 144마리가 되었다면, 5시간 후 박테리아 수의 근사치는?
① 200 ② 220 ③ 250 ④ 360

Ans.③

(17 국민)

3. 방사성 원소인 라돈-222 가스의 붕괴 방정식은 $y = y_0 e^{-0.18t}$로 알려져 있다. 여기에서 y_0는 초기량이고 t는 일(day) 단위의 시간이다. 라돈-222의 반감기(half-life)는?

① $\frac{50}{9}\ln 2$일 ② $\frac{50}{9}\ln 3$일 ③ $\frac{103}{18}\ln 2$일 ④ $\frac{103}{18}\ln 3$일

Ans.①

(19중대)

4. 박테리아의 수가 처음에는 P_0이었다가 1시간이 지나자 $2P_0$로 증가하였다고 하자. 박테리아 수의 증가속도가 시간 t에서의 박테리아의 수 $P(t)$에 비례한다면, 박테리아의 수가 (P_0이었던 시점을 기준으로) 10배 증가하는데 소요되는 시간은 얼마인가?

① $\log_2 5$시간 ② $\log_2 10$시간 ③ $\log_e 5$시간 ④ $\log_e 10$시간

Ans.②

(20항공대)

5. 건조기 안에 있는 젖은 세탁물의 습기 y는 현재의 습기에 비례하여 $y' = ky$의 관계로 줄어든다. 처음 5분 동안 습기가 반으로 준다면, 세탁물의 습기가 처음 10%이하가 되는 것은 최소 몇 분 후 인가?

① 19분 ② 18분 ③ 17분 ④ 16분

Ans.③

6. 뉴턴의 냉각법칙에 의하면 물체의 냉각속도는 물체의 온도와 주변온도의 차에 비례한다. 주변온도가 20℃로 일정할 때, 80℃인 커피가 1분 후에 50℃로 식었다. 1분이 더 지났을 때의 커피의 온도는?

① 40℃ ② 35℃ ③ 30℃ ④20℃

Ans.②

(13 이대)

7.실내 온도가 20℃인 카페에서 주문한 커피의 처음온도는 90℃이었다. t분 경과 후의 커피 온도 $T(t)$ 는 적당한 상수 k 에 대하여 아래에 주어진 Newton 의 온도 방정식을 만족한다.

$$\frac{dT}{dt}=k(T-20)$$

5분이 경과한 후 커피의 온도는 80℃가 되었다. 커피의 온도가 60℃로 식었을 때, 마시고자 한다면, 앞으로 얼마 더 기다려야 하는가? (단, ln2=0.693,ln3=1.10,ln5=1.61, ln7=1.95)

① 약 7분 ② 약 9분 ③ 약 11분 ④ 약 13분 ⑤ 약 15분

Ans.④

(16국민)

8. 뉴턴의 냉각법칙에 의하면 물체의 온도 변화는 그 물체와 주변과의 온도차에 비례한다. 실내 온도가 23℃인 국민 커피숍에서 갓 뽑아낸 커피의 온도는 95℃이고, 커피숍 안에서 5분 후에 이 커피의 온도는 85℃가 된다고 한다. 이 때, 갓 뽑아낸 커피의 온도가 59℃로 식을 때까지 걸리는 시간을 계산하여 몇 분일까?

① $\frac{4\ln 2}{\ln 35-\ln 30}$ ② $\frac{5\ln 2}{\ln 36-\ln 31}$ ③ $\frac{6\ln 3}{\ln 37-\ln 32}$ ④ $\frac{7\ln 3}{\ln 38-\ln 33}$

Ans.②

(09인하)

9. 물탱크에 $100l$의 물이 차있고 그 안에 $20kg$의 소금이 녹아 있다.

리터당 $0.1kg$의 소금이 녹아있는 소금물이 분당 $5l$씩 탱크안에

흘러들어오고, 고르게 잘 휘저은 다음 분당 $10l$씩 소금물이 흘러나간다.

흘러나간 소금물 $10l$가운데 $5l$를 다시 물탱크 안에 넣는다.

t분후 물탱크 안에 있는 소금의 양을 $y(t)$라 할때 $y(t)$는?

① $10+10^{\frac{-1}{20}t}$ ② $10+5e^{\frac{-1}{20}t}$ ③ $5+10e^{\frac{-1}{20}t}$ ④ $5+20e^{\frac{-1}{20}t}$

Ans.①

(16 성대)

10. 용량이 $500L$인 탱크에 $100g$의 소금이 녹아 있는 $200L$의 물이 들어있다고 하자. 이때, 물 $1L$당 $1g$의 소금이 들어있는 소금물이 분당 $3L$의 비율로 탱크 안으로 들어가고 분당 $2L$의 비율로 흘러나간다. 탱크 속에서 소금물이 완전히 섞인다고 가정할 때 탱크가 소금물로 꽉 차면 얼마나 많은 소금이 탱크 안에 남아있는가?

① $274g$ ② $365g$ ③ $484g$ ④ $523g$ ⑤ $602g$

Ans.③

(14홍대)

11. 물탱크 T_1에는 초기에 $10L$의 순수한 물이 들어있고 물탱크 T_2에는 초기에 $10kg$의 소금이 용해된 $10L$의 물이 들어있다. 아래 그림과 같은 T_1탱크로는 외부로부터 농도가 $1kg/L$인 소금물이 분당 $3L$의 유량으로 유입되고 T_2탱크로부터 분당 $1L$가 유입된다. 또한 T_2탱크로는 T_1탱크로부터 분당 $4L$가 유입되고 외부로 분당 $3L$가 유출된다. 각 탱크의 용액은 잘 혼합되어서 균질하게 유지된다. 오랜 시간이 지난후 $(t\to\infty)$ T_1과 T_2의 소금의 양을 구하시오.

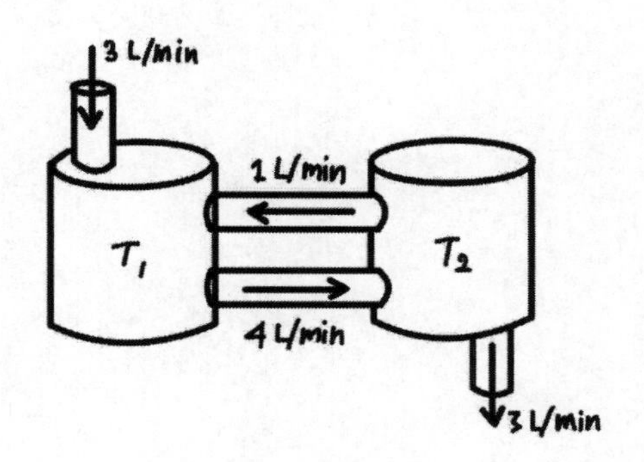

① $T_1 : 5kg, T_2 : 5kg$ ② $T_1 : 10kg, T_2 : 10kg$ ③ $T_1 : 5kg, T_2 : 10kg$ ④ $T_1 : 0kg, T_2 : 0kg$

Ans.②

(인하)

12. 탱크 T_1, T_2, T_3에는 초기에 각각 다른 농도의 소금물이 $100l$씩 들어있다. 이때, 펌프를 이용하여 T_1에서 T_2로, T_2에서 T_3로, T_3에서 T_1으로 각각 분당 $1l$씩의 소금물을 순환시키며 고루 섞어 주었다. 시간 t일 때 탱크 T_1, T_2, T_3의 소금의 양을 각각 $y_1(t)$, $y_2(t)$, $y_3(t)$ (단위 kg), 분당 소금의 양의 변화율을 각각 $y_1{}'(t)$, $y_2{}'(t)$, $y_3{}'(t)$ (단위 kg/분) 이라고 할 때, 다음 중 이 상황을 묘사하는 수학적인 모델로 적당한 것은?

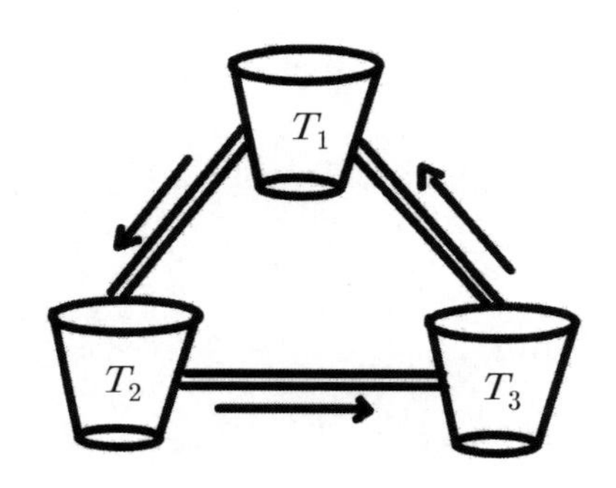

① $\begin{pmatrix} y_1{}' \\ y_2{}' \\ y_3{}' \end{pmatrix} = \begin{pmatrix} -0.01 & 0 & 0 \\ 0 & -0.01 & 0 \\ 0 & 0 & -0.01 \end{pmatrix} \begin{pmatrix} y_1 \\ y_2 \\ y_3 \end{pmatrix}$

② $\begin{pmatrix} y_1{}' \\ y_2{}' \\ y_3{}' \end{pmatrix} = \begin{pmatrix} 0 & -0.01 & 0.01 \\ 0.01 & 0 & -0.01 \\ -0.01 & 0.01 & 0 \end{pmatrix} \begin{pmatrix} y_1 \\ y_2 \\ y_3 \end{pmatrix}$

③ $\begin{pmatrix} y_1{}' \\ y_2{}' \\ y_3{}' \end{pmatrix} = \begin{pmatrix} 0 & 0.01 & -0.01 \\ -0.01 & 0 & 0.01 \\ 0.01 & -0.01 & 0 \end{pmatrix} \begin{pmatrix} y_1 \\ y_2 \\ y_3 \end{pmatrix}$

④ $\begin{pmatrix} y_1{}' \\ y_2{}' \\ y_3{}' \end{pmatrix} = \begin{pmatrix} -0.01 & 0 & 0.01 \\ 0.01 & -0.01 & 0 \\ 0 & 0.01 & -0.01 \end{pmatrix} \begin{pmatrix} y_1 \\ y_2 \\ y_3 \end{pmatrix}$

⑤ $\begin{pmatrix} y_1{}' \\ y_2{}' \\ y_3{}' \end{pmatrix} = \begin{pmatrix} 0.01 & 0 & -0.01 \\ -0.01 & 0.01 & 0 \\ 0 & -0.01 & 0.01 \end{pmatrix} \begin{pmatrix} y_1 \\ y_2 \\ y_3 \end{pmatrix}$

Ans.④

13. 두 개의 탱크가 직렬로 연결되어 있다. 탱크1에는 처음에 $20lb$의 소금이 용해되어 있는 $100gal$의 소금물이 들어 있고, 탱크2에는 $90lb$의 소금이 용해되어 있는 $150gal$의 소금물이 들어있다. 이 때, $0.5\,lb/gal$의 소금이 용해되어 있는 소금물이 $5\,gal/\mathrm{min}$의 속도로 탱크1로 유입된다고 하자. 탱크1에 달린 배출구를 통해 $5\,gal/\mathrm{min}$의 속도로 소금물이 탱크2로 유출되고, 탱크2도 마찬가지로 배출구가 있어 이를 통해 $5\,gal/\mathrm{min}$의 속도로 소금물이 밖으로 유출된다. t분 (min)경과 후 탱크1과 탱크2에 녹아 있는 소금의 양을 각각 $A(t), B(t)\,lb$라고 할 때, $A(t), B(t)$를 구하면?

① $A(t)=50-30e^{-t/20},\ B(t)=75+90e^{-t/20}-75e^{-t/30}$
② $A(t)=50-30e^{-t/10},\ B(t)=75+90e^{-t/10}-75e^{-t/30}$
③ $A(t)=50-30e^{-t/20},\ B(t)=75+90e^{-t/10}-75e^{-t/20}$
④ $A(t)=50-30e^{-t/10},\ B(t)=75+90e^{-t/10}-75e^{-t/30}$

Ans.①

(16 과기대)

14. $100l$의 물에 $20kg$의 소금이 녹아있는 탱크가 있다. t분 후에 l당 $e^{-0.1t}kg$의 소금이 녹아 있는 소금물이 분당 $10l$씩 탱크 안으로 들어가서 균등하게 섞이며 같은 속도로 흘러나온다. t분 후 탱크안의 소금의 양 $y(t)$를 구하면?

① $20e^{0.1t}$ ② $20e^{-0.1t}$ ③ $(10t+20)e^{-0.1t}$ ④ $70e^{0.1t}-50e^{-0.1t}$

Ans.③

(15 과기대)

15. 탱크 T_1에는 소금 $10kg$이 녹아있는 소금물이 $100l$ 들어있고 탱크 T_2에는 순수한 물이 $100l$ 들어있다. 두 탱크의 용액을 분당 $10l$씩 서로 맞바꾸어 고르게 섞어줄 때 t분후 탱크 T_1, T_2의 소금의 양을 각각 $y_1(t), y_2(t)$라 하자. 10분 후 두 탱크에 녹아있는 소금의 양의 차를 구하면?

① 0 ② $5e^{-1}$ ③ $10e^{-2}$ ④ $20e^{-4}$

Ans.③

(20 과기대)

16. 용량이 100L인 탱크에 15kg의 소금이 녹아있는 소금물이 50L 들어있다. L당 0.5kg의 소금이 녹아있는 소금물이 분당 4L씩 탱크 안으로 들어가서 완전히 섞인 후 반대쪽으로 분당 2L씩 탱크 밖으로 흘러나간다. 소금물이 탱크에 가득 차는 순간 탱크안의 소금의 양은?

① 25kg ② 40kg ③ 45kg ④ 50kg

Ans.③

(16 인하)

17. 바닥에 구멍이 있는 원통모양의 탱크에서 물이 새어 나온다고 한다. 물통 바닥의 반지름은 R 이고 구멍은 반지름이 r인 원이라 할 때, 시각 t에서의 물의 높이 $h(t)$가 만족하는 미분방정식은? (단, Torricelli의 법칙에 의하면 g를 중력가속도라고 할 때 물의 속도는 $v(t)=0.6\sqrt{2gh(t)}$로 주어진다.)

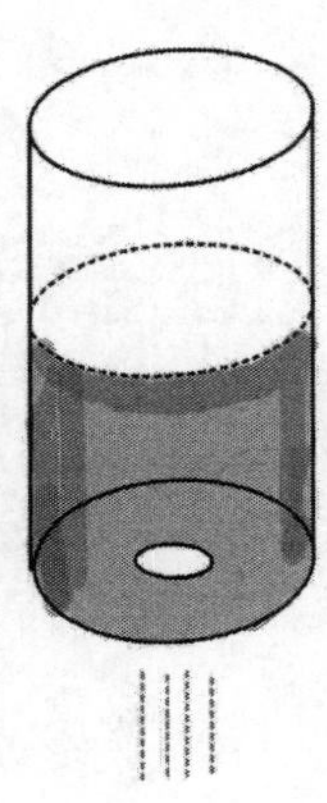

① $\frac{dh}{dt}=-0.6\sqrt{2gh(t)}$ ② $\frac{dh}{dt}=-0.6\frac{r^2}{R^2}\sqrt{2gh(t)}$ ③ $\frac{dh}{dt}=-0.6\frac{R^2-r^2}{R^2}\sqrt{2gh(t)}$

④ $\frac{dh}{dt}=-0.6\frac{r^2}{R^2-r^2}\sqrt{2gh(t)}$ ⑤ $\frac{dh}{dt}=-0.6\frac{R^2}{r^2}\sqrt{2gh(t)}$

Ans.②

18. 일정한 시간이 지난 후 일괄적으로 이자를 지급하는 방식이 아니라 시간 t에 대해 연속적으로 이자를 지급하는 예금을 생각하자. 시간 t에서 원금을 $S(t)$ 라고 할 때 원금의 증가율 $\frac{dS}{dt}$는 원금$S(t)$에 비례한다. 비례상수 r의 값이 5%/년 일 때 원금이 두 배가 되는데 걸리는 시간을 구하시오. 필요시 $e=2.7, \ln 2=0.7, \ln 3=1.1, \sqrt{2}=1.4$ 등으로 계산한다.

① 7년 ② 14년 ③ 22년 ④ 28년

Ans.②

(16 홍대)

19. 질량-용수철계의 자유감쇠 운동방정식은 $m\frac{d^2y}{dt^2}+\beta\frac{dy}{dt}+ky=0$이다. 여기서 m은 질량, β는 매질의 감쇠상수, k는 용수철의 힘상수 $y(t)$는 시간 t에서 질량의 위치이다. 정지된 상태에서 질량의 위치를 평형점이라고 한다. $m=1$, $\beta=5$, $k=4$이고, $t=0$에서 질량을 평형점 $5cm$아래까지 잡아당긴 후 정지 상태로부터 운동을 시작하였다. 다음 서술 중 맞는 것을 고르시오.

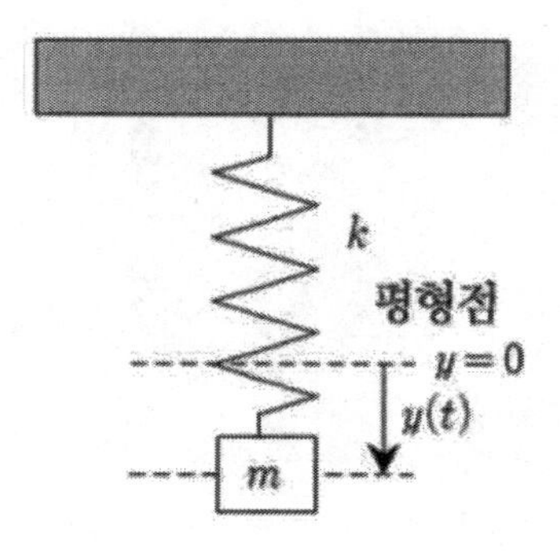

① 질량의 속도가 변한다.
② 일정한 진폭을 유지한다.
③ 운동의 주기는 π초이다.
④ 운동이 시작된 후 질량은 다시 평형점을 통과한다.

Ans.①

(19 항공)

20. 냉장고에 넣어둔 온도 3℃ 의 귤을 기온이 23℃인 공기 중에 시간 $t=0$일 때 꺼내었다. 이후, 귤 온도 T의 시간 당 변화율은 주변 온도와의 차이에 비례하여 $\frac{dT}{dt}=0.01\times(23-T)$의 관계로 변한다고 한다. $t=100$일 때 귤의 온도와 가장 가까운 값은?

① 10℃ ② 13℃ ③ 16℃ ④ 19℃

Ans.③

(15서강)

21. 어떤 숲 속에 있는 토끼와 늑대의 시각 t에서의 개체수를 각각 $r(t), w(t)$ 라고 할 때, $\frac{dr}{dt} = 3r - w$, $\frac{dw}{dt} = r + \frac{w}{2}$ 의 관계가 성립 한다. 만일 $r(0) = 70$, $w(0) = 20$ 이라면 $\lim_{t \to \infty} \frac{r(t)}{w(t)}$ 의 값은?

① $\frac{1}{2}$ ② 2 ③ $\frac{1}{3}$ ④ 3

Ans.②

22. 다음 내용을 바탕으로 한 미분 방정식의 예로 적절한 것은?
(단, 시각 t에서의 토끼와 늑대의 개체수는 각각 $R = R(t)$와 $W = W(t)$이다.)
(가)포식자(늑대)가 없고 먹이가 풍족한 상태에서 토끼의 개체 수는 지수적으로 증가할 것이다.
(나) 먹이(토끼)가 없다면 늑대의 개체 수는 지수적으로 감소할 것이다.
(다) 토끼와 늑대를 공존하는 경우 토끼의 개체 수 감소율과 늑대의 개체 수 증가율은 각각 만나는 빈도에 비례할 것이다.
(라) 토끼 및 늑대의 개체가 만나는 빈도는 각 개체 수의 곱에 비례할 것이다.

① $\begin{cases} \frac{dR}{dt} = 0.01R \\ \frac{dW}{dt} = -0.1W \end{cases}$ ② $\begin{cases} \frac{dR}{dt} = 0.01R + 0.0025RW \\ \frac{dW}{dt} = 0.1W + 0.0025RW \end{cases}$

③ $\begin{cases} \frac{dR}{dt} = 0.01R + 0.0025RW \\ \frac{dW}{dt} = -0.1W + 0.0025RW \end{cases}$ ④ $\begin{cases} \frac{dR}{dt} = 0.01R - 0.0025RW \\ \frac{dW}{dt} = -0.1W + 0.0025RW \end{cases}$

⑤ $\begin{cases} \frac{dR}{dt} = -0.01R - 0.0025RW \\ \frac{dW}{dt} = -0.1W + 0.0025RW \end{cases}$

Ans.④

(20홍대)
23. 수학자 에르되시가 80°의 커피를 두고 밖에 다녀오니 커피의 온도가 30°가 되었다. 에르되시가 돌아온 지 $\frac{1}{2}$시간 뒤에 커피의 온도가 25°가 되었다고 한다면 에르되시는 몇 시간 자리를 비웠는가? (실내 온도는 20°로 일정하고, 사물의 온도 변화 속도는 주변 온도와의 차이가 비례한다는 가정만 사용한다.)

① $\frac{\ln 3}{2}$ ② $\frac{\ln 12}{2}$ ③ $\frac{2\ln 6}{\ln 2}$ ④ $\frac{\ln 6}{\ln 4}$

*Ans.*④

(21국민)
24. 뜨거운 녹차는 시간이 지남에 따라 주변 온도와의 차이에 비례하여 식는다. 처음 온도가 95℃인 녹차를 20℃의 온도로 유지하는 실내에 두었더니 30분 후에 50℃가 되었다. 녹차의 온도가 25℃까지 낮아지는 데 걸리는 총 시간은 몇 분일까?

① $\frac{25(\ln 3+\ln 5)}{\ln 5-\ln 2}$ ② $\frac{30(\ln 3+\ln 5)}{\ln 5-\ln 2}$
③ $\frac{25(\ln 5+\ln 7)}{\ln 3-\ln 2}$ ④ $\frac{30(\ln 5+\ln 7)}{\ln 3-\ln 2}$

*Ans.*②

(21과기)

25. 방사능 물질 A와 B의 초기 양은 $200mg$으로 서로 같고, 반감기는 각각 $120, 180$시간이다. 두 물질 모두 임의의 시각 t일 때의 감소율은 시각 t일 때 물질의 양에 비례한다. 540시간 후 A의 남은 양은 B의 남은 양의 몇 배인가?

① $\frac{1}{\sqrt{2}}$ ② $\frac{1}{2}$ ③ $\frac{1}{2\sqrt{2}}$ ④ $\frac{1}{4}$

Ans. ③

(20한양)

26. 탄소 동위원소 ^{14}C의 반감기는 약 5730년이다. 어떤 화석 안에 ^{14}C가 원래 있었던 양의 1%만 남아 있을 때, 이 화석의 나이는?

(단, $\ln 2 = 0.693\cdots, \ln 100 = 4.605\cdots$)

① 약 35000년 ② 약 38000년 ③ 약 41000년 ④ 약 44000년 ⑤ 약 47000년

Ans. ②

(22성대)

27. $200L$의 물이 들어있는 큰 용기에 초기에 $100kg$의 소금이 녹아 있다고 하자. 이 용기에 소금물 $3L/\mathrm{min}$의 비율로 유입되고 용기 속에서 잘 섞인 소금물 $2L/\mathrm{min}$의 비율로 유출된다고 가정하자. 유입되는 소금의 농도가 $1kg/L$이고 시간$t(\mathrm{min})$에서 용기에 있는 소금의 양을 $x(t)(kg)$이라 할 때, $x(t)$가 만족하는 초기치 문제는?

① $\dfrac{dx}{dt}=3-\dfrac{2x}{200+t},\ x(0)=\dfrac{1}{2}$ ② $\dfrac{dx}{dt}=3-\dfrac{x}{100},\ x(0)=\dfrac{1}{2}$

③ $\dfrac{dx}{dt}=3-\dfrac{x}{100+t},\ x(0)=100$ ④ $\dfrac{dx}{dt}=3-\dfrac{2x}{200+t},\ x(0)=100$

⑤ $\dfrac{dx}{dt}=3-\dfrac{3x}{100+t},\ x(0)=100$

28. 처음에 두 탱크 A,B에 각각 $100l$의 소금용액이 차있고, 탱크 A에 $4kg$, 탱크 B에 $2kg$의 소금이 녹아있다. 초기에 물이 분당 $2l$의 유속으로 탱크 A로 유입되기 시작한 후 균일하게 혼합되어 분당 $2l$의 유속으로 탱크 B에 유입된다고 하자. 균일하게 혼합된 용액이 탱크 B에서 같은 유속으로 유출되고 있을 때, 시각 $t=5$(분)에 각 탱크에 있을 소금의 양의 합은 몇 kg인가?
(단, 탱크의 용액은 균일하게 혼합된다고 가정한다.)

① $\dfrac{12}{5}e^{-0.1}$ ② $\dfrac{12}{5}e^{-0.2}$ ③ $\dfrac{32}{5}e^{-0.1}$ ④ $\dfrac{32}{5}e^{-0.2}$

*Ans.*③

*Laplace 변환

: 함수 $f(t)$가 $t \geq 0$에 대하여 정의되어 있을 때, 이상적분

$\int_0^\infty e^{-st}f(t)dt = \lim_{T\to\infty}\int_0^T e^{-st}f(t)dt$이 존재할 때, 기호로 $\mathcal{L}(f(t))$또는 $F(s)$으로 표시하고

함수 $f(t)$의 Laplace변환이라 한다.
(단, $f(t)$는 연속함수 또는 조각적(구분적)연속인 함수이고 $s>0$이다.)

*Laplace역변환 : $\mathcal{L}^{-1}\{F(s)\} = f(t)$
(역변환이 존재하기 위한 조건은 $\lim_{s\to\infty} F(s) = 0$)

구분	$f(t) = \mathcal{L}^{-1}\{F(s)\}$	$\mathcal{L}\{f(t)\} = F(s)$
1	1	$\frac{1}{s}, (s>0)$
2	t^n	$\frac{n!}{s^{n+1}}, (s>0)$
3	e^{at}	$\frac{1}{s-a}, (s>a)$
4	$\cos at$	$\frac{s}{s^2+a^2}, (s>0)$
5	$\sin at$	$\frac{a}{s^2+a^2}, (s>0)$
6	$\cosh at$	$\frac{s}{s^2-a^2}, (s>\lvert a\rvert)$
7	$\sinh at$	$\frac{a}{s^2-a^2}, (s>\lvert a\rvert)$

*제1변위(이동)공식
1) 형태 : $\mathcal{L}\{e^{at}\times$(다항식 or 삼각함수 or 쌍곡선함수)$\}$
2) 변환 : $\mathcal{L}\{e^{at}f(t)\} = [\mathcal{L}\{f(t)\}]_{s-a} = F(s-a)$
3) 역변환 : $\mathcal{L}^{-1}\{F(s-a)\} = e^{at}\mathcal{L}^{-1}\{F(s)\} = e^{at}f(t)$

*미분을 활용한 Laplace변환
1) 형태 : $\mathcal{L}\{t^n\times$(삼각함수 or 쌍곡선함수)$\}$
2) 변환 : $\mathcal{L}\{t^n f(t)\} = (-1)^n\frac{d^n}{ds^n}\mathcal{L}\{f(t)\} = (-1)^n\frac{d^n}{ds^n}F(s)$
3) 역변환 : $\mathcal{L}^{-1}\left\{\frac{d^n}{ds^n}F(s)\right\} = (-t)^n\mathcal{L}^{-1}\{F(s)\} = (-t)^n f(t)$

*적분을 활용한 $\mathcal{L}$ 변환 case1.
1) 형태 : 분모에 t가 있는 경우
2) 변환 : $\mathcal{L}\left\{\frac{1}{t}f(t)\right\} = \int_s^\infty \mathcal{L}\{f(t)\}du$
3) 역변환 : $\mathcal{L}^{-1}\{F(s)\} = \left(\frac{-1}{t}\right)^n\mathcal{L}^{-1}\left\{\frac{d^n}{ds^n}F(s)\right\}$

* 적분을 활용한 $\mathcal{L}$ 변환 $case2$.
1) 형태 : $\mathcal{L}$ 안에 적분 $\int_0^t$ 가 있는 형태
2) 변환 : $\mathcal{L}\left\{\int_0^t f(u)du\right\} = \frac{1}{s}\mathcal{L}\{f(t)\} = \frac{F(s)}{s}$
3) 역변환 : $\mathcal{L}^{-1}\left\{\frac{F(s)}{s}\right\} = \int_0^t \mathcal{L}^{-1}\{F(s)\}du = \int_0^t f(u)du$
* 도함수에 대한 라플라스 변환(미방에서 활용)
1) 1계 도함수 : $\mathcal{L}\{f'(t)\} = s\mathcal{L}\{f(t)\} - f(0)$
2) 2계 도함수 : $\mathcal{L}\{f''(t)\} = s^2\mathcal{L}\{f(t)\} - sf(0) - f'(0)$
3) 3계 도함수 : $\mathcal{L}\{f'''(t)\} = s^3\mathcal{L}\{f(t)\} - s^2f(0) - sf'(0) - f''(0)$
4) n계 도함수 : $\mathcal{L}\{f^{(n)}(t)\} = s^n\mathcal{L}\{f(t)\} - s^{n-1}f(0) - s^{n-2}f'(0) - \cdots - f^{(n-1)}(0)$

1. 다음을 계산하시오.

(1) $\mathcal{L}\{\cos 3t\} = \frac{s}{s^2+3^2}$

(2) $\mathcal{L}\{\sin 2t\} = \frac{2}{s^2+2^2}$

(3) $\mathcal{L}\{\sinh 4t\} = \frac{4}{s^2-4^2}$

(4) $\mathcal{L}\{t^2 - 4\cos 2t + 2\} = \frac{2!}{s^3} - 4\frac{s}{s^2+4} + \frac{2}{s}$

(5) $\mathcal{L}\{t^3 - 4\sin 2t + 1\} = \frac{3!}{s^4} - 4\frac{2}{s^2+2^2} + \frac{1}{s}$

(6) $\mathcal{L}\left\{e^{-2t} + \frac{1}{2}\cos 2t\right\} = \frac{1}{s-(-2)} + \frac{1}{2}\frac{s}{s^2+2^2}$

(7) $\mathcal{L}\{e^{2t} - t^2\} = \frac{1}{s-2} - \frac{2!}{s^3}$

2. 다음 중 지수적 차수 (Exponential order)들이 가지는 조각적 연속 (Piecewise)함수의 Laplace변환이 아닌 것은? (단, k는 상수)

① $\frac{1}{s^2}-\frac{48}{s^5}$ ② $\frac{s}{s+1}$ ③ $\frac{(s+1)^3}{s^4}$ ④ $\frac{s}{s^2-k^2}$

Ans.②

3. $f(t)=\begin{cases}0\,,\,0 \le t < 3 \\ 2\,,\,t \ge 3\end{cases}$에 대한 $\mathcal{L}\{f(t)\}$를 정의를 이용하여 계산해라.

$Ans.\ \frac{2e^{-3s}}{s}$(단, $s>0$)

4. 함수$f(t)=\begin{cases}0\ (0 \le t < 2) \\ 1\ (t \ge 2)\end{cases}$의 라플라스 변환을 구하면?

① $\frac{e^s}{s}$ ② $-\frac{e^s}{s}$ ③ $\frac{e^{-2s}}{s}$ ④ $-\frac{e^{-2s}}{s}$

Ans.③

5. 다음을 계산하시오.

(1) $\mathcal{L}^{-1}\left\{\frac{1}{s-1}\right\}=e^t$ (2) $\mathcal{L}^{-1}\left\{\frac{1}{s+5}\right\}=e^{-5t}$

(3) $\mathcal{L}^{-1}\left\{\frac{1}{s}\right\}=1$ (4) $\mathcal{L}^{-1}\left\{\frac{2}{s^3}\right\}=t^2$

(5) $\mathcal{L}^{-1}\left\{\frac{1}{s^3}\right\}=\frac{t^2}{2}$

(6) $\mathcal{L}^{-1}\left\{\frac{2}{s+5}\right\}=2e^{-5t}$

(7) $\mathcal{L}^{-1}\left\{\frac{1}{s^2+4}\right\}=\frac{1}{2}\sin 2t$

(8) $\mathcal{L}^{-1}\left\{\frac{2s}{s^2+4}\right\}=2\cos 2t$

(9) $\mathcal{L}^{-1}\left\{\frac{1}{s^2+16}\right\}=\frac{\sin 4t}{4}$

(10) $\mathcal{L}^{-1}\left\{\frac{s+2}{s^2+4}\right\}=\cos 2t+\sin 2t$

(11) $\mathcal{L}^{-1}\left\{\frac{2s-1}{s^2+16}\right\}=2\cos 4t-\frac{1}{4}\sin 4t$

(12) $\mathcal{L}^{-1}\left\{\frac{1}{s^2-3s+2}\right\}=-e^t+e^{2t}$

(13) $\mathcal{L}^{-1}\left\{\frac{2s+3}{s^2+4s+3}\right\}=\frac{1}{2}e^{-t}+\frac{3}{2}e^{-3t}$

(14) $\mathcal{L}^{-1}\left\{\frac{2s+4}{s(s^2+1)}\right\}=4-4\cos t+2\sin t$

(15) $\mathcal{L}^{-1}\left\{\frac{s^2-4s+4}{(s+1)(s^2+4)}\right\}=\frac{9}{5}e^{-t}-\frac{4}{5}\cos 2t-\frac{8}{5}\sin 2t$

(16) $\mathcal{L}^{-1}\left\{\dfrac{5s-10}{s^4-3s^2-4}\right\}=e^{-2t}-\cos t+2\sin t$

(17) $\mathcal{L}^{-1}\left\{\dfrac{2s-4}{(s^2+s)(s^2+1)}\right\}=-4+3e^{-t}+\cos t+3\sin t$

6. $F(s)=\dfrac{4}{s^2+4}$의 라플라스 역변환을 구하면?

① $\sin 2t$ ② $\cos 2t$ ③ $2\sin 2t$ ④ $4\cos 2t$

Ans.③

7. $f(t)$가 $t\geq 0$에서 연속인 함수 일 때, $f(t)$의 라플라스 변환은 $\mathcal{L}\{f(t)\}=\int_0^{\infty}e^{-st}f(t)dt$로 정의한다. $\mathcal{L}\{f(t)\}=\dfrac{2}{s-1}-\dfrac{1}{s^2+1}$인 함수 $f(t)$에 대하여 $f(0)$의 값은?

① -2 ② -1 ③ 0 ④ 2

Ans.④

* 제1변위(이동)공식
1) 형태 : $\mathcal{L}\{e^{at}\times$(다항식 or 삼각함수 or 쌍곡선함수)$\}$
2) 변환 : $\mathcal{L}\{e^{at}f(t)\}=[\mathcal{L}\{f(t)\}]_{s-a}=F(s-a)$
3) 역변환 : $\mathcal{L}^{-1}\{F(s-a)\}=e^{at}\mathcal{L}^{-1}\{F(s)\}=e^{at}f(t)$

1. 다음을 Laplace 변환을 구하시오.

(1) $\mathcal{L}\{e^{2t}t^2\}=\dfrac{2}{(s-2)^3}$

(2) $\mathcal{L}\{e^{-t}\sin t\}=\dfrac{1}{(s+1)^2+1}$

(3) $\mathcal{L}\{e^{-3t}t^3\}=\dfrac{3!}{(s+3)^4}$

(4) $\mathcal{L}\{e^{2t}t^n\}=\dfrac{n!}{(s-2)^{n+1}}$

(5) $\mathcal{L}\{e^{3t}\cos 2t\}=\dfrac{s-3}{(s-3)^2+4}$

(6) $\mathcal{L}\{e^{-4t}\cosh 2t\}=\dfrac{s+4}{(s+4)^2-4}$

2. 역 Laplace변환을 구하여라.

(1) $\mathcal{L}^{-1}\left\{\dfrac{2!}{(s-2)^3}\right\}=t^2e^{2t}$

(2) $\mathcal{L}^{-1}\left\{\dfrac{3!}{(s+3)^4}\right\}=t^3e^{-3t}$

(3) $\mathcal{L}^{-1}\left\{\dfrac{1}{(s+1)^2+1}\right\}=\sin te^{-t}$

(4) $\mathcal{L}^{-1}\left\{\dfrac{5}{(s+4)^2+25}\right\}=e^{-4t}\sin 5t$

(5) $\mathcal{L}^{-1}\left\{\dfrac{s-3}{(s-3)^2+4}\right\}=e^{3t}\cos 2t$

(6) $\mathcal{L}^{-1}\left\{\dfrac{1}{(s-1)^2}\right\}=e^{t}t$

(7) $\mathcal{L}^{-1}\left\{\dfrac{8s+20}{s^2-4s+8}\right\}=e^{2t}(8\cos 2t+18\sin 2t)$

(8) $\mathcal{L}^{-1}\left\{\dfrac{s^2+s+3}{s^3+2s^2+s}\right\}=3-2e^{-t}-3te^{-t}$

(9) $\mathcal{L}^{-1}\left\{\dfrac{1}{(s+2)^2+9}\right\}=\dfrac{1}{3}e^{-2t}\sin 3t$

(10) $\mathcal{L}^{-1}\left\{\dfrac{s-2}{(s-2)^2+4}\right\}=e^{2t}\cos 2t$

(11) $\mathcal{L}^{-1}\left\{\dfrac{s}{s^2-4s+4}\right\}=e^{2t}(1+2t)$

(12) $\mathcal{L}^{-1}\left\{\dfrac{1}{s^2-6s+9}\right\}=e^{3t}t$

(13) $\mathcal{L}^{-1}\left\{\dfrac{1}{s^2+2s+5}\right\}=e^{-t}\sin 2t\dfrac{1}{2}$ (14) $\mathcal{L}^{-1}\left\{\dfrac{s+1}{s^2+4s+13}\right\}=e^{-2t}\left(\cos 3t-\dfrac{1}{3}\sin 3t\right)$

3. $\mathcal{L}^{-1}\left\{\dfrac{s^2+6s+9}{(s-1)(s-2)(s+4)}\right\}=ae^{t}+be^{2t}+ce^{-4t}$라 할 때 $a+b+c$의 값을 구하면?

① 1 ② 2 ③ $\dfrac{12}{5}$ ④ $\dfrac{29}{30}$

Ans.①

(18 에리카)

4. 함수 $f(t)=e^{at}\left(b_1+b_2t+b_3t^2\right)$의 라플라스 변환이 $\mathcal{L}(f)=\dfrac{s^2+s+1}{(s+2)^3}$일 때, $a+b_1+b_2+2b_3$의 값은?

① 0 ② -1 ③ -2 ④ -3

Ans.②

5. 함수 $\dfrac{s}{s^2+2s+2}$의 라플라스 역변환 $\mathcal{L}^{-1}\left(\dfrac{s}{s^2+2s+2}\right)$는 무엇인가?

① $e^{-t}(\cos t-\sin t)$ ② $e^{-2t}(\cos t-\sin t)$ ③ $e^{-t}(\cos t+\sin t)$ ④ $e^{-2t}(\cos t+\sin t)$

Ans.①

6. $F(s)=\dfrac{3}{2s^2+8s+10}$에 의하여 정의된 함수 $F(s)$의 라플라스 역변환(inverse Laplace transform)을 구하면?

① $\dfrac{3}{2}\cos t$ ② $\dfrac{3}{2}\sin t$ ③ $\dfrac{3}{2}e^{-2t}\sin t$ ④ $\dfrac{3}{2}e^{-2t}\cos t$

Ans.③

7. $\mathcal{L}^{-1}\left\{\dfrac{s}{s^2+8s+7}\right\}$은?

① $-\dfrac{1}{8}(e^{-t}-7e^{-7t})$ ② $\dfrac{1}{8}(e^{t}-7e^{7t})$ ③ $-\dfrac{1}{6}(e^{-t}-7e^{-7t})$ ④ $\dfrac{1}{6}(e^{t}-7e^{7t})$

Ans.③

(19중대)

8. $F(s)=\dfrac{1}{s^3+s^2+3s-5}$의 $\mathcal{L}$ 역변환 $f(t)$의 식으로 올바른 것은?

① $\frac{1}{8}e^t+\frac{1}{8}e^{-t}\cos 2t+\frac{1}{8}e^{-t}\sin 2t$ ② $\frac{1}{8}e^t+\frac{1}{8}e^{-t}\cos 2t-\frac{1}{8}e^{-t}\sin 2t$

③ $\frac{1}{8}e^t-\frac{1}{8}e^{-t}\cos 2t+\frac{1}{8}e^{-t}\sin 2t$ ④ $\frac{1}{8}e^t-\frac{1}{8}e^{-t}\cos 2t-\frac{1}{8}e^{-t}\sin 2t$

Ans.④

9. $y=y(t)$의 라플라스 변환 $Y(s)$가 다음과 같을 때, $y(t)$는?

$$Y(s)=\frac{3s+4}{(s+1)(s^2+2s+2)}$$

① $y(t)=e^{-t}-e^{-t}(\cos t+3\sin t)$ ② $y(t)=e^{-t}-e^{-t}(\cos t-3\sin t)$

③ $y(t)=e^{-1}-e^{-t}(\cos t+2\sin t)$ ④ $y(t)=e^{-1}-e^{-t}(\cos t-2\sin t)$

Ans.②

(17과기대)

10. 함수 $F(s)=\dfrac{1}{s^2+8s+17}$ 의 라플라스 역변환은?

① $e^{-t}\cos 4t$ ② $e^{-t}\sin 4t$ ③ $e^{-4t}\cos t$ ④ $e^{-4t}\sin t$

Ans.④

(16 단국)

11. $y=y(t)$의 라플라스변환 $Y(s)$가 다음과 같을 때, $y(1)$의 값은?

$$Y(s)=\frac{2}{s-3}+\frac{2}{(s-3)^5}$$

① $\frac{25e^3}{12}$ ② $\frac{9e^3}{4}$ ③ $\frac{29e^3}{12}$ ④ $\frac{31e^3}{12}$

Ans.①

(17 가천)

12. $f(t)$의 라플라스변환이 $F(s)=\frac{2s+4}{(s-2)^3}$일 때, $f(1)$의 값은?

① $-2e^2$ ② $2e^2$ ③ $4e^2$ ④ $6e^2$

Ans.④

(18 가천)

13. 함수 $F(s)=\frac{s}{s^2-2s+5}$ 의 라플라스 역변환은?

① $e^{2t}\cos 2t$ ② $e^{2t}\cos t+\frac{1}{2}e^{2t}\sin t$ ③ $e^t\cos 2t+e^t\sin 2t$ ④ $e^t\cos 2t+\frac{1}{2}e^t\sin 2t$

Ans.④

(18단국)

14. 역 라플라스변환 $\mathcal{L}^{-1}\left\{\frac{3s}{9s^2+4}\right\}$를 $f(t)$라고 할 때, $f(t)$의 주기는?

① $\frac{3\pi}{2}$ ② 2π ③ $\frac{5\pi}{2}$ ④ 3π

Ans.④

*미분을 활용한 $Laplace$변환

1) 형태 : $\mathcal{L}\{t^n \times$(삼각함수 or 쌍곡선함수)$\}$

2) 변환 : $\mathcal{L}\{t^n f(t)\} = (-1)^n \dfrac{d^n}{ds^n}\mathcal{L}\{f(t)\} = (-1)^n \dfrac{d^n}{ds^n}F(s)$

3) 역변환 : $\mathcal{L}^{-1}\left\{\dfrac{d^n}{ds^n}F(s)\right\} = (-t)^n \mathcal{L}^{-1}\{F(s)\} = (-t)^n f(t)$

1. 다음을 Laplace 변환을 구하시오.

(1) $\mathcal{L}\{t\sin at\} = \dfrac{a2s}{(s^2+a^2)^2}$

(2) $\mathcal{L}\{t\cos at\} = \dfrac{s^2-a^2}{(s^2+a^2)^2}$

(3) $\mathcal{L}\{t\sin 3t\} = \dfrac{6s}{(s^2+9)^2}$

(4) $\mathcal{L}\{t\cos 2t\} = \dfrac{s^2-4}{(s^2+4)^2}$

(5) $\mathcal{L}\{t\sinh at\} = \dfrac{a2s}{(s^2-a^2)^2}$

(6) $\mathcal{L}\{t\cosh at\} = \dfrac{s^2+a^2}{(s^2-a^2)^2}$

(7) $\mathcal{L}\{t^2\sin 3t\} = \dfrac{18s^2-54}{(s^2+9)^3}$

(8) $\mathcal{L}^{-1}\left\{\dfrac{2s}{(s^2-4)^2}\right\} = \dfrac{tsinh2t}{2}$

(9) $\mathcal{L}^{-1}\left\{\frac{1}{s^2+1}-\frac{s}{(s^2+1)^2}\right\}$

2. 함수 $f(t)=t\sin 3t$의 라플라스 변환 $\mathcal{L}\{f(t)\}$는?

① $\frac{3s}{(s^2-9)^2}$　② $\frac{3s}{(s^2+9)^2}$　③ $\frac{6s}{(s^2-9)^2}$　④ $\frac{6s}{(s^2+9)^2}$

Ans.④

3. $\mathcal{L}(e^{5t}t^3+e^{-2t}\cos 4t)=f(s)$라 할 때, $26f(4)$의 값을 구하면?

① 155　② 157　③ 159　④ 161

Ans.③

(16 에리카)

4. 함수 $f(t)$의 라플라스변환 $\mathcal{L}(f)$이 아래와 같을 때 $f(t)$는?

$$\mathcal{L}(f)=\frac{2s+4}{(s^2+4s+5)^2}$$

① $f(t)=te^{-2t}\cos t$ ② $f(t)=te^{-2t}\sin t$ ③ $f(t)=te^{2t}\cos t$ ④ $f(t)=te^{2t}\sin t$

Ans.②

5. $\mathcal{L}^{-1}\left(\frac{5s^2+20s+6}{s^3+2s^2+s}\right)=a+be^{-t}+cte^{-t}$라 할 때 $a+b+c$의 값을 구하면?

① 12 ② 13 ③ 14 ④ 15

Ans.③

(16 중대)

6. $f(t)=e^{3t}\sinh t$ 와 $g(t)=t^2\sin 3t$ 의 Laplace변환을 $F(s)$, $G(s)$ 라 할 때 $F(s)$, $G(s)$를 구하면?

① $F(s)=\dfrac{1}{(s-3)(s-2)}$, $G(s)=\dfrac{18s^2-54}{(s^2+9)^3}$

② $F(s)=\dfrac{1}{(s-4)(s-2)}$, $G(s)=\dfrac{18s^2-54}{(s^2+9)^3}$

③ $F(s)=\dfrac{1}{(s-3)(s-2)}$, $G(s)=\dfrac{18s^2-36}{(s^2+9)^3}$

④ $F(s)=\dfrac{1}{(s-4)(s-2)}$, $G(s)=\dfrac{18s^2-36}{(s^2+9)^3}$

Ans.②

(19 한양)

7.함수 $f(t)$의 라플라스 변환이 $L(f(t))=\dfrac{1}{s^2+4}$이다. $G(s)=L(e^{\pi t}(f(t))^2)$일 때, $G(2\pi)$의 값은?

① $\dfrac{1}{8}\left(\dfrac{4}{\pi^2+16}-\dfrac{1}{\pi}\right)$ ② $\dfrac{1}{8}\left(\dfrac{\pi}{\pi^2+16}-\dfrac{1}{\pi}\right)$ ③ $\dfrac{1}{8}\left(\dfrac{1}{\pi}-\dfrac{4}{\pi^2+16}\right)$ ④ $\dfrac{1}{8}\left(\dfrac{1}{\pi}-\dfrac{\pi}{\pi^2+16}\right)$

⑤ $\dfrac{1}{8}\left(\dfrac{1}{\pi}-\dfrac{1}{\pi^2+16}\right)$

Ans.④

* 적분을 활용한 $\mathcal{L}$ 변환 $case1$.
1) 형태 : 분모에 t가 있는 경우
2) 변환 : $\mathcal{L}\left\{\frac{1}{t}f(t)\right\}=\int_{s}^{\infty}\mathcal{L}\{f(t)\}du$
3) 역변환 : $\mathcal{L}^{-1}\{F(s)\}=\left(\frac{-1}{t}\right)^{n}\mathcal{L}^{-1}\left\{\frac{d^{n}}{ds^{n}}F(s)\right\}$

1. 다음을 Laplace 변환을 구하시오.

(1) $\mathcal{L}\left\{\frac{e^{t}}{t}\right\}=\infty$

(2) $\mathcal{L}\left\{\frac{\sin t}{t}\right\}=\tan^{-1}\frac{1}{s}$

(3) $\mathcal{L}\left\{\frac{e^{2t}-e^{t}}{t}\right\}=\ln\left(\frac{s-1}{s-2}\right)$

2. 다음 역 Laplace변환을 구하여라.

(1) $\mathcal{L}^{-1}\{\tan^{-1}s\}=\frac{\sin t}{-t}$

(2) $\mathcal{L}^{-1}\left\{\ln\frac{s-1}{s}\right\}=\left(-\frac{1}{t}\right)(e^{t}-1)$

(3) $\mathcal{L}^{-1}\left\{\ln\frac{s+2}{s+1}\right\}=\left(-\frac{1}{t}\right)(e^{-2t}-e^{-t})$

(4) $\mathcal{L}^{-1}\left\{\tan^{-1}\frac{1}{s}\right\}=\frac{\sin t}{t}$

3. $\mathcal{L}^{-1}\left(\frac{\pi}{2}-\tan^{-1}\frac{s}{2}\right)=f(t)$라 할 때 $\lim_{t\to 0}f(t)$의 값을 구하면?

① 0 ② 2 ③ $\frac{\pi}{2}$ ④ ∞

Ans.②

(19에리카)

4. 다음 함수 $F(s)=\ln\frac{s^2+1}{(s-1)^2}$의 라플라스의 역변환 $\mathcal{L}^{-1}\{F(s)\}$는?

① $\frac{2\sin t-2e^t}{t}$ ② $-\frac{2\sin t-2e^t}{t}$ ③ $\frac{2\cos t-2e^t}{t}$ ④ $-\frac{2\cos t-2e^t}{t}$

Ans.④

* 적분을 활용한 $\mathcal{L}$ 변환 $case2$.
1) 형태 : $\mathcal{L}$ 안에 적분 $\int_0^t$ 가 있는 형태
2) 변환 : $\mathcal{L}\left\{\int_0^t f(u)du\right\}=\frac{1}{s}\mathcal{L}\{f(t)\}=\frac{F(s)}{s}$
3) 역변환 : $\mathcal{L}^{-1}\left\{\frac{F(s)}{s}\right\}=\int_0^t \mathcal{L}^{-1}\{F(s)\}du=\int_0^t f(u)du$

1. 계산하시오.

(1) $\mathcal{L}\left\{\int_0^t e^{3u}du\right\}=\frac{1}{s(s-3)}$

(2) $\mathcal{L}\left\{\int_0^t u^2du\right\}=\frac{2}{s^4}$

(3) $\mathcal{L}^{-1}\left\{\frac{1}{s(s^2-4)}\right\}=\frac{1}{4}(\cosh 2t-1)$

(4) $\mathcal{L}^{-1}\left\{\frac{1}{s(s^2+1)}\right\}=1-\cos t$

(5) $\mathcal{L}^{-1}\left\{\dfrac{1}{s^2(s^2+1)}\right\}=t-\sin t$

(6) $\mathcal{L}^{-1}\left\{\dfrac{1}{s^3(s^2+1)}\right\}=\int_0^t(u-\sin u)du=\dfrac{1}{2}t^2-1+\cos t$

2. $\mathcal{L}\{f(t)\}=\dfrac{1}{s^2(s^2+\omega^2)}$ 일 때, $f(t)$를 구하면?

① $\dfrac{1}{\omega^2}(t-\dfrac{1}{\omega}\cos\omega t)$　　② $\dfrac{1}{\omega^2}(t-\dfrac{1}{\omega}\sin\omega t)$

③ $\dfrac{1}{\omega^2}(t+\dfrac{1}{\omega}\sin\omega t)$　　④ $\dfrac{1}{\omega^2}(t+\dfrac{1}{\omega}\cos\omega t)$

Ans.②

(17중대)

3. 두 함수 $F(s)=\dfrac{2s+6}{(s^2+6s+10)^2}$, $G(s)=\ln\dfrac{s}{s-1}$ 의 Laplace 역변환

$f(t)=\mathcal{L}^{-1}\{F(s)\}$, $g(t)=\mathcal{L}^{-1}\{G(s)\}$가 바르게 짝지어진 것은?

① $te^{-3t}\cos t,\ \dfrac{e^t-1}{t}$ ② $te^{-3t}\sin t,\ \dfrac{e^t-1}{t}$

③ $te^{-3t}\sin t,\ \dfrac{e^t-e}{t}$ ④ $te^{-3t}\cos t,\ \dfrac{e^t-e}{t}$

Ans.②

* 도함수에 대한 라플라스 변환(미방에서 활용)
1) 1계 도함수 : $\mathcal{L}\{f'(t)\}=s\mathcal{L}\{f(t)\}-f(0)$
2) 2계 도함수 : $\mathcal{L}\{f''(t)\}=s^2\mathcal{L}\{f(t)\}-sf(0)-f'(0)$
3) 3계 도함수 : $\mathcal{L}\{f'''(t)\}=s^3\mathcal{L}\{f(t)\}-s^2f(0)-sf'(0)-f''(0)$
4) n계 도함수 : $\mathcal{L}\{f^{(n)}(t)\}=s^n\mathcal{L}\{f(t)\}-s^{n-1}f(0)-s^{n-2}f'(0)-\cdots-f^{(n-1)}(0)$

1. $\mathcal{L}\{f''(t)\}=\dfrac{-1}{s^2+1}$, $f(0)=0, f'(0)=1$일 때, $f(t)=?$ $Ans.\ \sin t$

2. Laplace변환을 활용하여 다음의 미분방정식을 풀어라.

(1) $\frac{dy}{dt}+3y=13\sin 2t,\ y(0)=2$

(2) $y''-3y'+2y=e^{-4t},\ y(0)=1,\ y'(0)=5$

3. 미분방정식 $\frac{dy}{dt}+2y=\cos 2t, y(0)=1$을 만족하는 함수 y의 라플라스 변환 $Y(s)$를 구하면?

① $Y(s)=\frac{1}{(s+2)(s^2+4)}$ ② $Y(s)=\frac{s}{(s+2)(s^2+4)}$

③ $Y(s)=\frac{s^2+s+4}{(s+2)(s^2+4)}$ ④ $Y(s)=\frac{s^2+5}{(s+2)(s^2+4)}$

Ans.③

(15 성대)

4. y가 미분방정식 $y''+4y'+2y=0$, $y(0)=1, y'(0)=-1$의 해일 때 $\mathcal{L}[y](s)$를 구하면?

① $\frac{s+3}{s^2+4s+2}$ ② $\frac{2s-4}{s^2+4s-5}$ ③ $\frac{s-6}{s^2+5s+4}$ ④ $\frac{s+4}{s^2+3s+2}$ ⑤ $\frac{4s+2}{s^2-6s+1}$

Ans.①

(19 성대)

5. y는 미분방정식 $2y''-3y'+y=0, y(0)=y'(0)=1$의 해이다. y의 라플라스 변환 $L[y](s)$라 할 때 $\lim_{s\to\infty}\{sL[y](s)\}$ 의 값은?

① -1 ② 0 ③ e ④ 1 ⑤ π

Ans.④

(광운)

6. 다음 초깃값 문제에서 $t=1$에서의 값은?

$$y''-2\pi y'+\pi^2 y=0, y(0)=1, y'(0)=\pi+1$$

① -1 ② $2e^{\pi}$ ③ $-e^{\pi}$ ④ $e^{\pi}+e^{-\pi}$

Ans.②

(15 인하)

7. 초깃값 문제 $y''+y'+3y=e^t$, $y(0)=1$, $y'(0)=0$의 해 $y=f(t)$에 대하여, $f(t)$의 라플라스 변환 $L(f(t))$를 구하시오.

ⓐ $\dfrac{s^2}{(s-1)(s^2+s+3)}$ ⓑ $\dfrac{s-1}{s^2+s+3}$ ⓒ $\dfrac{s^2+s+3}{s-1}$ ⓓ $\dfrac{1}{s-1}-\dfrac{s-1}{s^2+s+3}$

Ans.ⓐ

8. $x(0)=1, y(0)=0$을 만족하는 연립미분방정식 $\begin{cases} \dfrac{dx}{dt}-y=e^t \\ \dfrac{dy}{dt}+x=\sin t \end{cases}$ 의 해 $y(t)$를 구하면?

① $y=\dfrac{1}{2}\left(-e^t+\sin t+\cos t-t\sin t\right)$ ② $y=\dfrac{1}{2}\left(-e^t+\sin t-\cos t+t\sin t\right)$

③ $y=\dfrac{1}{2}\left(-e^t-\sin t+\cos t-t\sin t\right)$ ④ $y=\dfrac{1}{2}\left(-e^t-\sin t+\cos t+t\sin t\right)$

Ans.④

(18중대 공대)

9. $F(s)=\dfrac{s+8}{s^4+4s^2}$ 의 Laplace역변환을 $f(t)$라 할 때, $f(0)+f'(0)$의 값은?

① -1 ② 0 ③ 1 ④ 2

Ans.②

(18 중대 공대)

10. $f(t)=te^{2t}\sin 6t$ 의 Laplace변환을 $F(s)$라 할 때, $F(4)$의 값은?

① $\dfrac{3}{100}$ ② $\dfrac{3}{200}$ ③ $\dfrac{3}{400}$ ④ $\dfrac{3}{800}$

Ans.②

11. $\mathcal{L}\left\{\cos\left(t-\dfrac{\pi}{6}\right)\right\}$를 구하면?

① $\dfrac{\sqrt{3}s+1}{2(s^2-1)}$ ② $\dfrac{\sqrt{3}s+1}{2(s^2+1)}$ ③ $\dfrac{\sqrt{3}s-1}{2(s^2+1)}$ ④ $\dfrac{\sqrt{3}s-1}{2(s^2-1)}$

Ans.②

(22중대공대)

12. 함수 $g(t)=e^{-2t}\cos\left(t-\frac{\pi}{6}\right)$의 Laplace변환이 $G(s)$로 주어질 때, $G(-3)$의 값은?

① $\frac{1-2\sqrt{3}}{4}$ ② $\frac{1-\sqrt{3}}{4}$ ③ $\frac{1+\sqrt{3}}{4}$ ④ $\frac{1+2\sqrt{3}}{4}$

Ans.②

(21서강)

13. L을 라플라스 변환(Laplace transform)이라고 하고 L^{-1}을 L의 역변환이라고 하자.
$f(t)=L^{-1}\left[\frac{s+15}{s^3+2s^2+5s}\right](t)$라고 할 때, $f(0)$의 값은?

① 0 ② 1 ③ 2 ④ 3 ⑤ 6

Ans.①

(22서강)

14. $\mathcal{L}$을 라플라스 변환이라고 하고 $\mathcal{L}^{-1}$를 $\mathcal{L}$의 역변환이라고 하자.
$f(t)=\mathcal{L}^{-1}\left\{\frac{1}{s^4+5s^2+4}\right\}(t)$에 대하여 $f\left(\frac{\pi}{2}\right)=\frac{q}{p}$라고 할 때, $p+q$의 값은? (단, p, q는 서로소인 자연수)

Ans. 4

* 단위 계단 함수
1) 정의 : $u(t-a)=\begin{cases} 0 & (0<t<a) \\ 1 & (t>a) \end{cases}$
2) 변환 : $\mathcal{L}\{u(t-a)\}=\dfrac{e^{-as}}{s}(s>0)$
* 제2변위 공식
1) 정의 : $f(t-a)U(t-a)=\begin{cases} 0 & (t<a) \\ f(t-a) & (a>t) \end{cases}$
2) 변환 : $\mathcal{L}\{f(t-a)u(t-a)\}=e^{-as}\mathcal{L}\{f(t)\}=e^{-as}F(s)$
3) 역변환 : $\mathcal{L}^{-1}\{e^{-as}F(s)\}=f(t-a)u(t-a)=\left[\mathcal{L}^{-1}\{F(s)\}\right]_{t-a}u(t-a)$

1. $f(t)=\begin{cases} 3 & (0<t<\pi) \\ 0 & (t>\pi) \end{cases}$

2. $f(t)=\begin{cases} t & (0<t<2) \\ 0 & (t>2) \end{cases}$

3. $f(t)=\begin{cases} 0 & (t<\pi) \\ \sin t & (\pi<t) \end{cases}$

4. 단위계단 함수 $u(t-a)$의 라플라스 변환을 구하면?

① e^{-as} ② e^{as} ③ $\dfrac{e^{-as}}{s}$ ④ $\dfrac{e^{as}}{s^2}$

Ans.③

5. $\mathcal{L}\{u(t-2)\}=\dfrac{e^{-2s}}{s}$　　6. $\mathcal{L}\{u(t-2\pi)\}=\dfrac{e^{-2\pi s}}{s}$　　7. $\mathcal{L}\{u(t)\}=\dfrac{1}{s}$

(광운)

8. $f(t)=\begin{cases} 0 & (0<t<2) \\ 3 & (2 \le t < 7) \\ 0 & (t \ge 7) \end{cases}$ 의 라플라스 변환 $\mathcal{L}\{f(t)\}$는?

① $3(e^{7s}-e^{2s})$　② $3(e^{2s}-e^{7s})$　③ $\dfrac{3}{s}(e^{-2s}-e^{-7s})$　④ $\dfrac{3}{s}(e^{-7s}-e^{-2s})$

Ans.③

(17성대)

9. 함수 $f(t)=\begin{cases} 0 & (t<1) \\ 1 & (1<t<2) \\ 0 & (t>2) \end{cases}$ 의 Laplace변환 $\mathcal{L}\{f(t)\}$ 을 구하면?

①$\dfrac{1}{s}(e^{-s}-e^{-2s})$　②$\dfrac{1}{s}(e^{-s}+e^{-2s})$　③$\dfrac{2}{s}(e^{-s}-e^{-2s})$　④$\dfrac{2}{s}(e^{-s}+e^{-2s})$⑤ $-\dfrac{1}{s}(e^{-s}+e^{-2s})$

Ans.①

(20 성대)

10. 임의의 양의 상수 $c>0$ 에 대하여

$f_c(t)=\begin{cases}\dfrac{1}{c}, 0\le t\le c\\ 0, t>c\end{cases}$ 의 라플라스 변환을 $F_c(s)$라고 할 때 $\lim_{c\to 0+}F_c(2020)$의 값은?

① -2020 ② -1 ③ 0 ④ 1 ⑤ 2020

Ans.④

11. $\mathcal{L}\{t^2 U(t-4)\}=e^{-4s}\left(\dfrac{2}{s^3}+\dfrac{8}{s^2}+\dfrac{16}{s}\right)$

10. $\mathcal{L}\{\sin t\, U(t-2\pi)\}=\dfrac{e^{-2\pi s}}{s^2+1}$

12. $\mathcal{L}\{\cos t \cdot u(t-\pi)\}=f(s)$라 할 때 $\lim_{s\to 1}f(s)$의 값을 구하면?

① $-\dfrac{1}{e^{\pi}}$ ② $-\dfrac{1}{2e^{\pi}}$ ③ $\dfrac{1}{e^{\pi}}$ ④ $\dfrac{1}{2e^{\pi}}$

Ans.②

13. $\mathcal{L}^{-1}\left\{\dfrac{8e^{-3s}}{s^2-4}\right\}=4\sinh(2t-6)U(t-3)$

14. 단위계단 함수(unit step function)가 $u(t-a)=\begin{cases}0 & (0\le t<a)\\ 1 & (a\le t)\end{cases}$로 정의되어 있다.

함수 $f(t)$가 $f(t)=\begin{cases}2 & (0\le t<\pi)\\ -1 & (\pi\le t<2\pi)\\ 0 & (2\pi\le t<4\pi)\\ \sin t & (4\pi\le t)\end{cases}$로 주어졌을 때 라플라스변환 $\mathcal{L}\{f(t)\}$를 구하면?

① $\dfrac{2}{s}-\dfrac{3e^{-\pi s}}{s}-\dfrac{e^{-2\pi s}}{s}+\dfrac{e^{-4\pi s}}{s^2+1}$　② $\dfrac{2}{s}+\dfrac{3e^{-\pi s}}{s}-\dfrac{e^{-2\pi s}}{s}+\dfrac{e^{-4\pi s}}{s^2+1}$

③ $\dfrac{2}{s}-\dfrac{3e^{-\pi s}}{s}+\dfrac{e^{-2\pi s}}{s}+\dfrac{e^{-4\pi s}}{s^2+1}$　④ $\dfrac{2}{s}+\dfrac{3e^{-\pi s}}{s}+\dfrac{e^{-2\pi s}}{s}+\dfrac{e^{-4\pi s}}{s^2+1}$

Ans.③

(16 중대)

15. $y(t)$가 $y''+3y'+2y=u(t-1)$, $y(0)=0$, $y'(0)=1$을 만족할 때 $y(3)$의 값은?

① $1-e^{-2}+\frac{1}{2}e^{-3}+e^{-4}-e^{-6}$　② $1-e^{-2}+\frac{1}{2}e^{-3}+\frac{1}{2}e^{-4}-e^{-6}$

③ $\frac{1}{2}-e^{-2}+\frac{1}{2}e^{-3}+e^{-4}-e^{-6}$　④ $\frac{1}{2}-e^{-2}+e^{-3}+\frac{1}{2}e^{-4}-e^{-6}$

Ans.④

(17 서강)

16. L 을 라플라스변환이라 하고, L^{-1}을 L 의 역변환이라 할 때, $L^{-1}\left\{\dfrac{e^{-s}}{s^2(s-1)}\right\}(t)$, $t>0$ 에서의 값은?

① $-1+t+e^t$ ② $-1+t+e^{-t+1}$ ③ $-U(t-1)$
④ $(-t+e^{t-1})U(t-1)$ ⑤ $(1-t+e^{t-1})U(t-1)$

Ans.④

17. 함수 $f(t)$의 라플라스 변환이 $\mathcal{L}\{f(t)\}=\dfrac{1}{s^2}-\dfrac{e^{-2s}}{s^2}-\dfrac{2e^{-2s}}{s}$일 때, $t\geq 2$에 대하여 다음 초깃값 문제의 해 $y(t)$는?

$$y''+y=f(t),\ y(0)=0,\ y'(0)=0$$

① $t-\sin t$ ② $2(t-2)+\sin(t-2)$
③ $2\cos(t-2)-\sin t+\sin(t-2)$ ④ $2\cos(t-2)-\sin t+\sin(t-2)+2(t-2)$

Ans.③

(17 에리카)

18. 함수 $f(t)=\begin{cases} 0, & t<2\pi \\ \sin t, & 2\pi \le t \le 3\pi \\ 0, & t>3\pi \end{cases}$ 의 라플라스 변환은?

① $\dfrac{1}{s^2+1}(e^{-2\pi s}+e^{-3\pi s})$ ② $\dfrac{1}{s^2+1}(e^{2\pi s}+e^{3\pi s})$

③ $\dfrac{s}{s^2+1}(e^{-2\pi s}+e^{-3\pi s})$ ④ $\dfrac{s}{s^2+1}(e^{2\pi s}+e^{3\pi s})$

Ans.①

(20 서강)

19. $t \ge 0$에서 정의된 함수 $f(t)$의 라플라스 변환 $F(s)$가 다음과 같이 주어질 때,

$$F(s)=\frac{\pi(1-e^{-4s})}{s^2+\left(\frac{\pi}{2}\right)^2}+\frac{e^{-5s}}{s}\left(3-3e^{-s}+\frac{e^{-s}}{s}\right)$$

$f(1)+f(3)+f(4.5)+f(5.5)+f(7)$의 값은?

① 1 ② $\dfrac{5}{2}$ ③ 4 ④ $\dfrac{9}{2}$ ⑤ 6

Ans.③

(17 한양)

20. 미분방정식 $y'(t)+y(t)=f(t), y(0)=5,\quad f(t)=\begin{cases}0 & (0 \le t \le \pi)\\ 3\cos t & (t \ge \pi)\end{cases}$ 를 만족하는 연속함수 $y(t)$ 에 대하여 $10y(2\pi)-3y(\pi)$ 의 값은?

① 0 ② $10e^{-2\pi}+15$ ③ $25e^{-2\pi}+15$ ④ $50e^{-2\pi}+15$

Ans.④

21. 미분방정식 $y''+4y=f(t)$, $f(t)=\begin{cases}1 & (0<t<1)\\ 0 & (1 \le t)\end{cases}$ (단, $y(0)=0, y'(0)=0$)일 때, $\mathcal{L}\{y(t)\}$를 구하면?

① $\dfrac{1+e^{-s}}{s^2+4}$ ② $\dfrac{1-e^{-s}}{s^2+4}$ ③ $\dfrac{1+e^{-s}}{s(s^2+4)}$ ④ $\dfrac{1-e^{-s}}{s(s^2+4)}$

Ans.④

(12성대)

22. 다음 초깃값 문제에 대하여 $y(t)$의 라플라스 변환 $Y(s)$를 구하면?

$$y''-4y'-12y=f(t),\ y(0)=3,\ y'(0)=0,\ f(t)=\begin{cases}0\ (0\le t<1)\\ 4\ (t\ge 1)\end{cases}$$

① $Y(s)=\dfrac{3}{s^2-4s-12}+\dfrac{e^{-s}}{s(s^2-4s-12)}$

② $Y(s)=\dfrac{3s}{s^2-4s-12}+\dfrac{e^{-4s}}{s(s^2-4s-12)}$

③ $Y(s)=\dfrac{3s}{s^2-4s-12}+\dfrac{4e^{-s}}{s(s^2-4s-12)}$

④ $Y(s)=\dfrac{3s-12}{s^2-4s-12}+\dfrac{4e^{-s}}{s(s^2-4s-12)}$

Ans.④

(14 한양)

23. 함수 $f(t)$ 가 다음과 같이 주어져 있다.

$f(t)=\begin{cases}\cos 2t\ (\pi\le t<2\pi)\\ 0\quad (t<\pi \text{ 또는 } t\ge 2\pi)\end{cases}$　다음 중 $f(t)$ 의 라플라스 변환인 것은?

① $\dfrac{2}{(s-2\pi)^2+4}-\dfrac{2}{(s-\pi)^2+4}$　② $\dfrac{s-2\pi}{(s-2\pi)^2+4}-\dfrac{s-\pi}{(s-\pi)^2+4}$

③ $(e^{-\pi s}-e^{-2\pi s})\dfrac{2}{s^2+4}$　④ $(e^{-\pi s}-e^{-2\pi s})\dfrac{s}{s^2+4}$

Ans.④

24. 라플라스 변환을 이용하여 다음 초깃값 문제의 해를 구하면?

$$\frac{d^2x}{dt^2}-3\frac{dx}{dt}+2x=f(t)=\begin{cases}1\ (0\le t<1)\\0\ (1\le t<\infty)\end{cases},\ x(0)=0,\ x'(0)=0$$

① $x(t)=\frac{1}{2}-e^{t}-\frac{1}{2}e^{2t}-\left\{\frac{1}{2}-e^{t-1}+\frac{1}{2}e^{2(t-1)}\right\}u(t-1)$

② $x(t)=\frac{1}{2}-e^{t}-\frac{1}{2}e^{2t}+\left\{\frac{1}{2}-e^{t-1}+\frac{1}{2}e^{2(t-1)}\right\}u(t-1)$

③ $x(t)=\frac{1}{2}-e^{t}+\frac{1}{2}e^{2t}-\left\{\frac{1}{2}-e^{t-1}+\frac{1}{2}e^{2(t-1)}\right\}u(t-1)$

④ $x(t)=\frac{1}{2}+e^{t}+\frac{1}{2}e^{2t}-\left\{\frac{1}{2}-e^{t-1}+\frac{1}{2}e^{2(t-1)}\right\}u(t-1)$

Ans.③

(19한양)

25. 함수 $F(s)=\frac{1}{s^2}-e^{-s}\left(\frac{1}{s^2}+\frac{2}{s}\right)+e^{-4s}\left(\frac{4}{s^3}+\frac{1}{s}\right)$의 역 라플라스 변환을 $f(t)$라 할 때, $f(10)$의 값을 구하시오.

Ans.72

26. x, v가 상수일 때 함수 $f(t)=\begin{cases} 0 & \left(t<\dfrac{x}{v}\right) \\ \sin(x-vt) & \left(t>\dfrac{x}{v}\right) \end{cases}$의 라플라스 변환을 구하면?

① $-e^{-\frac{sx}{v}}\dfrac{x}{s^2+x^2}$ ② $e^{-\frac{sx}{v}}\dfrac{x}{s^2+x^2}$ ③ $-e^{-\frac{sx}{v}}\dfrac{v}{s^2+v^2}$ ④ $e^{-\frac{sx}{v}}\dfrac{v}{s^2+v^2}$

Ans.③

(17 홍대)

27. 다음 중 라플라스 변환이 맞지 않은 것을 고르시오. 단, 함수 $f(t)$의 라플라스 변환은 다음과 같이 정의된 함수이다. $\mathcal{L}\{f(t)\}=\int_0^\infty e^{-st}f(t)dt$

① $\mathcal{L}\{te^{-t}\}=\dfrac{1}{s^2+2s+1}$ ② $\mathcal{L}\{t\sin t\}=\dfrac{2s}{s^4+2s^2+1}$

③ $\mathcal{L}\{e^{-t}\sin t\}=\dfrac{2}{s^2+2s+2}$ ④ $\mathcal{L}\{te^{-t}\sin t\}=\dfrac{2s+2}{(s^2+2s+2)^2}$

Ans.③

(16중대)

28. $y(t)$가 $y'(t)+4y(t)+4\int_0^t y(\tau)d\tau=1$, $y(0)=0$을 만족할 때 $y(1)$의 값은?

① $2e^{-3}$ ② e^{-3} ③ $2e^{-2}$ ④ e^{-2}

Ans.④

(16 인하)

29. 함수 $y=f(t)$가 미분방정식 $y''-y=t, y(0)=0, y'(0)=0$을 만족할 때, $f(t)$의 라플라스 변환 $Y(s)=\int_0^\infty e^{-st}f(t)dt$를 s의 식으로 나타내면?

① $\frac{1}{s^2(s^2+1)}$ ② $\frac{s}{s^4-1}$ ③ $\frac{1}{s^2(s^2-1)}$ ④ $\frac{1}{s^4}$ ⑤ $\frac{s}{s^2-1}$

Ans.③

30. 함수$f(t)$의 라플라스 변환을 s에 관한 함수로 표시하면

$F(s)=\mathcal{L}\{f(t)\}=\int_0^\infty e^{-st}f(t)dt$와 같다. 다음 중 올바른 라플라스 변환을 모두 고르면?

(가) $\mathcal{L}(\sin wt)=\frac{s}{s^2-w^2}$ (나) $\mathcal{L}(e^{at}\cos\omega t)=\frac{s-a}{(s-a)^2+\omega^2}$

(다) $\mathcal{L}(t^3)=\frac{3!}{s^3}$ (라) $\mathcal{L}\{f'(t)\}=s\mathcal{L}\{f(t)\}-f(0)$

① (나), (라) ② (나), (다) ③ (나), (다), (라) ④ (가), (라), (나)

Ans.①

(21경희)

31. $f(t)=\mathcal{L}^{-1}\left\{\dfrac{32}{s^8-16s^4}\right\}=c_1\sinh c_2t+c_3\sin c_4t+c_5t^{c_6}$ 일 때, $c_1c_2+c_3c_4+c_5c_6$의 값은?

① 1 ② -1 ③ 2 ④ 6 ⑤ -6

(21경희)

32. $\displaystyle\int_0^\infty te^{-t}\sin 3t\,dt$ 의 값은?

① 0.02 ② 0.03 ③ 0.04 ④ 0.05 ⑤ 0.06

(22경희)

33. 라플라스 변환이 $F(s)=\mathcal{L}\{f(t)\}=\dfrac{5s^2}{s^4+3s^2-4}$ 인 함수 $f(t)$에 대하여 $f(0)$의 값은?

① 1 ② 2 ③ -1 ④ -2 ⑤ 0

(22경희)

34. 함수 $f(t)=5e^{-2t}-3\sin 4t\,(t \geq 0)$의 라플라스변환이 $\mathcal{L}\{f(t)\}=\dfrac{b}{s-a}-\dfrac{d}{s^2+c}$일 때, $a+b+c+d$의 값은?

① 1 ② 35 ③ -1 ④ 31 ⑤ -31

Ans.④

(21한양)

35. 함수 f의 라플라스 변환 $F(s)$가

$F(s)=\dfrac{e^{-4s}}{s^2+3}+\dfrac{s-1}{(s-2)^2+3}$일 때, $\ln f\left(\dfrac{\sqrt{3}\pi}{9}\right)$의 값은?

① $\dfrac{\sqrt{3}}{9}\pi$ ② $\dfrac{2\sqrt{3}}{9}\pi$ ③ $\dfrac{\sqrt{3}}{3}\pi$ ④ $\dfrac{4\sqrt{3}}{9}\pi$ ⑤ $\dfrac{5\sqrt{3}}{9}\pi$

*Ans.*②

(22성대)

36. 함수 $F(s)=\dfrac{e^{-3s}s}{s^2+4}$의 라플라스역변환은? (단, $u(t)$은 $u(t):=\begin{cases}0, t<0\\1, 0<t\end{cases}$로 정의된 단위계단함수(unit step function)이다.)

① $\dfrac{1}{3}\sin(2t-6)u(t-3)$ ② $\cos(2t-3)u(t-3)$ ③ $\cos(2t-6)u(t-3)$

④ $\cos(2t+6)u(t-3)$ ⑤ $\sin(2t+6)u(t-3)$

Ans.③

*주기함수
: $f(t \pm T) = f(t)\,(n = 0, 1, 2, \cdots)$를 만족하는 함수 $(T > 0)$

변환 : $\mathcal{L}\{f(t)\} = \dfrac{\int_0^T f(t)e^{-st}dt}{1 - e^{-sT}}$

1. $f(t) = t\ (0 < t < 2),\ f(t-2) = f(t)$에서 $\mathcal{L}\{f(t)\} = ?$

$Ans.\ \dfrac{-\frac{1}{s}\left(2e^{-2s} + \frac{1}{s}(e^{-2s} - 1)\right)}{1 - e^{-2s}}$

2. $f(t) = \begin{cases} -1 & (0 < t < \pi) \\ 1 & (\pi < t < 2\pi) \end{cases},\ f(t - 2\pi) = f(t)$에서 $\mathcal{L}\{f(t)\} = ?$

$Ans.\ \dfrac{-\frac{1}{s}(e^{-\pi s} - 1)^2}{1 - e^{-2\pi s}}$

3. $f(t) = |\sin t|$의 라플라스 변환을 구하면?

① $\frac{1}{1+s} \cdot sinh\frac{\pi s}{2}$　　② $\frac{1}{1+s^2} \cdot sinh\frac{\pi s}{2}$

③ $\frac{1}{1+s^2} \cdot tanh\frac{\pi s}{2}$　　④ $\frac{1}{1+s^2} \cdot coth\frac{\pi s}{2}$

Ans.④

(15중대)

4. $f(t) = te^{-3t}\cos 3t$와 $g(t) = \int_0^t e^{-\tau}\cos\tau d\tau$ 의 Laplace변환을 각각 $F(s), G(s)$라 할 때, $F(s), G(s)$를 구하면?

① $F(s) = \frac{(s+3)^2-9}{[(s+3)^2-9]^2}$, $G(s) = \frac{s+1}{s(s^2+2s-2)}$

② $F(s) = \frac{(s+3)^2-9}{[(s+3)^2-9]^2}$, $G(s) = \frac{s+1}{s(s^2+2s+2)}$

③ $F(s) = \frac{(s+3)^2-9}{[(s+3)^2+9]^2}$, $G(s) = \frac{s+1}{s(s^2+2s+2)}$

④ $F(s) = \frac{(s+3)^2-9}{[(s+3)^2+9]^2}$, $G(s) = \frac{s+1}{s(s^2+2s-2)}$

Ans.③

*합성곱(convolution)
: 라플라스 변환의 곱 $F(s)G(s)$가 주어질 때, $F(s)G(s)$의 역변환을 $f(t)*g(t)$로 나타내며, 이것을 f와 g의 합성곱이라 하고 다음과 같이 정의한다.

$$(f*g)(t)=f(t)*g(t)=\int_0^t f(\tau)g(t-\tau)d\tau\ ,(t\ge 0)$$

1) 변환 : $\mathcal{L}\{f(t)\}=F(s),\ \mathcal{L}\{g(t)\}=G(s)$이면 $\mathcal{L}\{f(t)*g(t)\}=F(s)G(s)$

2) 역변환 : $\mathcal{L}^{-1}\{F(s)G(s)\}=f(t)*g(t)=\int_0^t f(x)g(t-x)dx=\int_0^t g(x)f(t-x)dx$

3) 적분방정식 : $\mathcal{L}\left\{\int_0^t f(x)g(t-x)dx\right\}=F(s)G(s)$

4) 합성곱의 성질
① 교환법칙 : $f*g=g*f$
② 분배법칙 : $f*(g+h)=f*g+f*h$
③ 결합법칙 : $(f*g)*h=f*(g*h)$
④ $f*0=0*f=0$

1. 함수 $f(t)=\cos t$라 할 때, 합성곱(convolution) $(f*f)(t)$를 구한 것은?
① $\frac{1}{2}(\cos t+t\sin t)$ ② $\frac{1}{2}(t\cos t+\sin t)$ ③ $\cos t+t\sin t$ ④ $t\cos t+\sin t$

※ (1) $\sin at*\sin at=\frac{-1}{2}\left(t\cos at-\frac{1}{a}\sin at\right)$
(2) $\cos at*\cos at=\frac{1}{2}\left(t\cos at+\frac{1}{a}\sin at\right)$

Ans.②

2. $L^{-1}\left\{\frac{1}{s^2(s^2+a^2)}\right\}=\frac{1}{a^2}\left(t-\frac{1}{a}\sin at\right)$

3. $L^{-1}\left\{\frac{1}{(s^2+a^2)^2}\right\}=\frac{\sin at-at\cos at}{2a^3}$

4. $L^{-1}\left\{\frac{a2s}{(s^2+a^2)^2}\right\}=t\sin at$

5. $L^{-1}\left\{\frac{s^2-a^2}{(s^2+a^2)^2}\right\}=t\cos at$

(18서강)

6. $\mathcal{L}$ 를 라플라스변환이라 하고, $\mathcal{L}^{-1}$를 라플라스역변환이라고 할 때, $\mathcal{L}^{-1}\left[\dfrac{s^2}{(s^2+4)^2}\right]$ 는?

① $\dfrac{\sin 2t+2t\cos 2t}{4}$ ② $\dfrac{\sin 2t-2t\cos 2t}{4}$ ③ $\dfrac{2\sin 2t+t\cos 2t}{4}$

④ $\dfrac{2\sin 2t-t\cos 2t}{4}$ ⑤ $\dfrac{2\sin 2t+\cos 2t}{4}$

Ans.①

(16 성균)

7. 두 함수 $y=t$와 $y=f(t)$의 합성곱(convolution)$*$이 $t*f(t)=t^2(1-e^{-t})$을 만족할 때, $f(2)$의 값은?

① $-2-2e^{-2}$ ② e^{-2} ③ $-1-2e^{-2}$ ④ $2+2e^{-2}$ ⑤ $1+2e^{-2}$

Ans.④

8. $y=y(x)$가 적분방정식 $y(x)-\int_0^x y(\tau)\sin 2(x-\tau)d\tau=\cos 2x$ 의 해일 때, $y(2)$의 값은?

① $-\cos(2\sqrt{2})$ ② $\sin(2\sqrt{2})$ ③ $\cos(2\sqrt{2})$ ④ $-\sin(2\sqrt{2})$

Ans.③

(19 단국)

9. 함수 $f(t)=\int_0^t e^{-\tau}\cosh(\tau)\cos(t-\tau)d\tau$ 의 라플라스 변환은?

① $\frac{s}{(s-1)^2(s+1)}$ ② $\frac{s}{(s-2)(s+1)}$ ③ $\frac{s}{(s+1)(s^2+1)}$ ④ $\frac{s+1}{(s+2)(s^2+1)}$

Ans.④

(15 에리카)

10. 라플라스 변환을 이용하여 구한 다음 적분방정식의 해 $f(x)$는?

$$f(x)=e^x-\int_0^x e^{x-t}f(t)dt$$

① $f(x)=1$ ② $f(x)=-1$ ③ $f(x)=e^x$ ④ $f(x)=-e^x$

Ans.①

(17 한양)

11.방정식 $f(t)=2t-e^{-t}-\int_0^t f(\eta)e^{t-\eta}d\eta$ 에 대하여 $f(0)-f''(0)$ 의 값은?

① -4 ② -3 ③ 3 ④ 4

Ans.③

(19 중대)

12. $y=y(t)$가 방정식 $y(t)-\int_0^t y(\tau)\sin(t-\tau)d\tau=t$의 해일 때, $y(1)$의 값은?

① $\frac{5}{6}$ ② $\frac{7}{6}$ ③ $\frac{11}{6}$ ④ $\frac{13}{6}$

Ans.②

(16 한양)

13. 라플라스 변환(Laplace transform) $\mathcal{L}\left(\int_0^t 10e^{\tau}\sin(t-\tau)d\tau\right)$를 $f(s)$라 하고, 역 라플라스 변환(inverse Laplace transform) $\mathcal{L}^{-1}\left\{\frac{16}{(s^2+4)^2}\right\}$을 $g(t)$라고 할 때, $f(2)+g\left(\frac{\pi}{4}\right)$의 값은?

① 0 ② 1 ③ 2 ④ 3

Ans.④

(20 가천)

14. 적분방정식 $y(t)+4\int_0^t y(\tau)(t-\tau)d\tau=4t$의 해 $y=y(t)$에 대하여 $y(\frac{\pi}{4})$의 값은?

① 1 ② 2 ③ 3 ④ 4

Ans.②

15. $y(t)=2+\int_0^t e^{t-u}y(u)du$ 일 때, $y(t)$의 라플라스 변환 $Y(s)$를 구하면?

① $Y(s)=\dfrac{2(s-1)}{s(s-2)}$ ② $Y(s)=\dfrac{3s-1)}{s(s-1)}$

③ $Y(s)=\dfrac{s-2}{s(s-1)}$ ④ $Y(s)=\dfrac{2(s-1)}{s^2}$

Ans.①

16. 미분적분방정식 $y'+2y-3\int_0^t ydu=5+5t$에서 $t=0$일 때, $y=2$인 조건을 만족하는 해를 구하면?

① $y=\frac{5}{3}+3e^t+\frac{2}{3}e^{-3t}$ ② $y=-\frac{5}{3}-3e^t+\frac{2}{3}e^{-3t}$

③ $y=\frac{5}{3}+3e^t-\frac{2}{3}e^{-3t}$ ④ $y=-\frac{5}{3}+3e^t+\frac{2}{3}e^{-3t}$

Ans.④

(17 단국)

17. 함수 $f(t)=\int_0^t e^{\tau}\sin(t-\tau)d\tau$ 의 라플라스변환은?

① $\dfrac{1}{(s+1)(s^2-1)}$ ② $\dfrac{1}{(s-1)(s^2+1)}$ ③ $\dfrac{1}{(s-1)(s^2-1)}$ ④ $\dfrac{1}{(s+1)(s^2+1)}$

Ans.②

18. 라플라스 변환을 이용하여 미분방정식 $y(t)-\int_0^t \sin(t-\eta)y(\eta)d\eta=\sin t$의 해 $y(t)$를 구하면?

① 1 ② t ③ t^2 ④ t^3

Ans.②

19. 합성곱 정리를 이용하여 $f(t)=t+\int_0^t f(u)\sin(t-u)du$의 해를 구하면?

① $t+\dfrac{1}{6}t^3$ ② $t-\dfrac{1}{6}t^3$ ③ $t+\dfrac{1}{6}t^3+e^t$ ④ $t+\dfrac{1}{6}t^3+e^{-t}$

Ans.①

20. 초깃값 문제 $\frac{dy}{dt}+y+\int_0^t y(u)du=1, y(0)=0$의 해를 구하면?

① $y(y)=\frac{\sqrt{2}}{\sqrt{3}}e^{-\frac{t}{2}}\cdot\sin\frac{\sqrt{3}}{2}t$
② $y(y)=\frac{\sqrt{2}}{\sqrt{3}}e^{-\frac{t}{2}}\cdot\cos\frac{\sqrt{3}}{2}t$
③ $y(y)=\frac{2}{\sqrt{3}}e^{-\frac{t}{2}}\cdot\sin\frac{\sqrt{3}}{2}t$
④ $y(y)=\frac{2}{\sqrt{3}}e^{-\frac{t}{2}}\cdot\cos\frac{\sqrt{3}}{2}t$

Ans.③

(홍대)
21. $\mathcal{L}$은 라플라스 변환을 나타내는 기호이다. $\mathcal{L}\{f(t)\}=F(s), \mathcal{L}\{g(t)\}=G(s)$일 때, 다음 중 틀린 것은?
① $\mathcal{L}\{e^{at}f(t)\}=F(s-a)$
② $\mathcal{L}\{f'(t)\}=sF(s)-f(0)$
③ $\mathcal{L}\left\{\int_0^\tau f(t)dt\right\}=\frac{F(s)}{s}-f(0)$
④ $\mathcal{L}\{f(t)*g(t)\}=F(s)G(s)$ (단, $f(t)*g(t)$는 $f(t)$와 $g(t)$의 합성곱)

Ans.③

(과기대)
22. 함수 $f(t)$의 라플라스 변환이 $F(s)=\mathcal{L}\{f(t)\}$일 때, 다음 중 틀린 것은?
① $\mathcal{L}\{f(t)g(t)\}=\mathcal{L}\{f(t)\}\mathcal{L}\{g(t)\}$
② $\mathcal{L}\left\{\int_0^t f(r)g(t-r)dr\right\}=F(s)G(s)$
③ $\mathcal{L}\{f''(t)\}=s^2\mathcal{L}\{f(t)\}-sf(0)-f'(0)$
④ $\mathcal{L}\left\{\int_0^t f(r)dr\right\}=\frac{1}{s}F(s)$

Ans.①

*디렉(Dirac) 델타함수(충격파)

1) 정의 : $\delta(t-a)=\begin{cases}\infty & (t=a)\\ 0 & (t\neq a)\end{cases}$ 이고 $\int_{-\infty}^{\infty}\delta(t-a)dt=1$을 만족하는 함수 $\delta(t-a)$를 $Dirac\ delta$함수 (또는 단위충격함수)라 한다.

2) 변환 : $t_0>0$에 대하여 $\mathcal{L}\{\delta(t-t_0)\}=e_0^{-st}$

3) 충격파 함수의 성질

① $\int_{-\infty}^{\infty}\delta(t-a)dt=1$ ② $\int_{-\infty}^{\infty}f(t)\delta(t-a)dt=f(a)$

③ $\frac{d}{dt}[U(t-a)]=\delta(t-a)$ ④ $\int_{-\infty}^{t}\delta(\tau-a)d\tau=U(t-a)$

1. $\mathcal{L}\{\delta(t-a)\}=e^{-as}$

2. $\mathcal{L}\{\delta(t-1)\}=e^{-s}$

3. $\mathcal{L}\{\delta(t-\pi)\}=e^{-\pi s}$

4. $\mathcal{L}\{\delta(t)\}=e^{-0s}=1$

(20 항공)

5. 미분방정식 $y''+6y'+25y=\delta(t-2),\ y(0)=y'(0)=0$을 만족하는 함수 $y(t)$는?

① $\frac{1}{4}e^{-3(t-2)}\cos(4(t-2))u(t-2)$ ② $e^{-3(t-2)}\cos(4(t-2))u(t-2)$

③ $\frac{1}{4}e^{-3(t-2)}\sin(4(t-2))u(t-2)$ ④ $e^{-3(t-2)}\sin(4(t-2))u(t-2)$

Ans.③

(15 홍대)

6. 디락의 델타함수 $\delta(t-a)$는 다음과 같이 정의 된다.

$\delta(t-a)=\begin{cases}0, & t\neq a\\ \infty, & t=a\end{cases}, \int_{-\infty}^{\infty}\delta(t-a)dt=1$ 미분방정식 $I'(t)+I(t)=\delta(t-1), I(0)=0$의 해 $I(t)$에 대하여 $I(2)$의 값을 구하시오.

① e^{-1} ② 1 ③ e ④ e^2

Ans.①

(15 중대)

7. 미분방정식 $y''+4y'+5y=\delta(t-2\pi), y(0)=0, y'(0)=0$의 해를 구하면?
(단, $\delta(t-2\pi)$는 2π에 집중되어 있는 Dirac delta 함수를 나타내고, $U(t-2\pi)$는 $0\le t<2\pi$일 때 $0, t\ge 2\pi$일 때, 1의 값을 갖는 함수를 나타낸다.)

① $y=e^{-2(t-2\pi)}\sin(t)$
② $y=e^{-2t}\sin(t)U(t-2\pi)$
③ $y=e^{-2(t-2\pi)}U(t-2\pi)$
④ $y=e^{-2(t-2\pi)}\sin(t)U(t-2\pi)$

Ans.④

(22 중대공대)

8. 미분 방정식 $y''+16y=\delta(t-2\pi)$, $y(0)=0$, $y'(0)=0$의 해는?

① $\frac{1}{4}\sin(4t)u(t+2\pi)$

② $\frac{1}{4}\cos(4t)u(t-2\pi)$

③ $\frac{1}{4}\cos(4t)u(t+2\pi)$

④ $\frac{1}{4}\sin(4t)u(t-2\pi)$

Ans.④

*라플라스 변환을 이용한 이상적분의 계산

① $\int_0^\infty f(t)dt = F(0)$　② $\int_0^\infty e^{at}f(t)dt = F(-a)$

③ $\int_0^\infty tf(t)dt = -F'(0)$ ④ $\int_0^\infty \frac{f(t)}{t}dt = \int_0^\infty F(u)du$

1. $\int_0^\infty e^{-2t}t^3 dt = \frac{3}{8}$

2. $\int_0^\infty e^{-3t}\sin t dt = \frac{1}{10}$

(17성대)

3. $\int_0^\infty te^{-3t}\cos t dt$ 의 값은?

① $\frac{1}{25}$ ② $\frac{2}{25}$ ③ $\frac{3}{25}$ ④ $\frac{4}{25}$ ⑤ $\frac{5}{25}$

Ans.②

4. $\int_0^\infty \frac{e^{-t}-e^{-3t}}{t}dt = \ln 3$

(17한양)

5. 적분 $\int_0^\infty \frac{e^{-2\pi x} - e^{-4\pi x}}{x} dx$ 의 값은?

① ln2 ② ln4 ③ ln8 ④ $\ln\frac{1}{2}$

Ans.①

6. 라플라스 변환을 이용하여 적분 $\int_0^\infty e^{-t}(1-\cos 2t)dt$를 구하면?

① 0 ② $\frac{3}{5}$ ③ $\frac{4}{5}$ ④ ∞

Ans.③

*푸리에(Fourier)급수
: $-L < x < L$ 범위에서 $f(x \pm 2L) = f(x)$로 정의된 함수

함수 $f(x)$의 주기가 $2L$일때 공식 : $f(x) = a_0 + \sum_{n=1}^{\infty}\left(a_n \cos\frac{n\pi}{L}x + b_n \sin\frac{n\pi}{L}x\right)$

$$\begin{cases} a_0 = \frac{1}{2L}\int_{-L}^{L} f(x)dx \\ a_n = \frac{1}{L}\int_{-L}^{L} f(x)\cos\frac{n\pi}{L}x dx, \ (n = 1,2,3,\cdots) \\ b_n = \frac{1}{L}\int_{-L}^{L} f(x)\sin\frac{n\pi}{L}x dx, \ (n = 1,2,3,\cdots) \end{cases}$$

함수 $f(x)$의 주기가 $2L$일때 공식 : $f(x) = \frac{a_0}{2} + \sum_{n=1}^{\infty}\left(a_n \cos\frac{n\pi}{L}x + b_n \sin\frac{n\pi}{L}x\right)$

$$\begin{cases} a_0 = \frac{1}{L}\int_{-L}^{L} f(x)dx \\ a_n = \frac{1}{L}\int_{-L}^{L} f(x)\cos\frac{n\pi}{L}x dx, \ (n = 1,2,3,\cdots) \\ b_n = \frac{1}{L}\int_{-L}^{L} f(x)\sin\frac{n\pi}{L}x dx, \ (n = 1,2,3,\cdots) \end{cases}$$

☆ Fourier 급수를 이용한 무한급수의 합

① $1 + \frac{1}{2^2} + \frac{1}{3^2} + \frac{1}{4^2} + \frac{1}{5^2} + \cdots = \frac{\pi^2}{6}$

② $1 + \frac{1}{3^2} + \frac{1}{5^2} + \frac{1}{7^2} \cdots = \frac{\pi^2}{8}$

③ $1 - \frac{1}{2^2} + \frac{1}{3^2} - \frac{1}{4^2} + \cdots = \frac{\pi^2}{12}$

④ $\frac{1}{2^2} + \frac{1}{4^2} + \frac{1}{6^2} + \frac{1}{8^2} \cdots = \frac{\pi^2}{24}$

⑤ $1 + \frac{1}{2^4} + \frac{1}{3^4} + \frac{1}{4^4} + \frac{1}{5^4} + \cdots = \frac{\pi^4}{90}$

⑥ $1 + \frac{1}{3^4} + \frac{1}{5^4} + \frac{1}{7^4} + \cdots = \frac{\pi^4}{96}$

⑦ $1 + \frac{1}{3^6} + \frac{1}{5^6} + \frac{1}{7^6} + \cdots = \frac{\pi^6}{960}$

⑧ $\frac{1}{2^4} + \frac{1}{4^4} + \frac{1}{6^4} + \cdots = \frac{1}{2^4}\left(1 + \frac{1}{2^4} + \frac{1}{3^4} + \cdots\right) = \frac{\pi^4}{1440}$

1. 함수 $f(x)=\begin{cases} 0\ ,\ (-2<x<0) \\ 4\ ,\ (0 \le x < 2) \end{cases}$ 일 때 푸리에 급수를 전개해라.

$Ans.\ f(x)=2+\sum_{n=1}^{\infty}\left[-\left(\frac{4}{n\pi}\cos n\pi-\frac{4}{n\pi}\right)\sin\frac{n\pi}{2}x\right]$

(광운)

2. 함수 $f(x)=\begin{cases} -1\ (-\pi<x<0) \\ \ \ 1\ (0 \le x < \pi) \end{cases}$ 의 푸리에 급수에서 영이 아닌 세번째 항의 계수는?

① $\frac{2}{3\pi}$ ② $\frac{4}{5\pi}$ ③ $\frac{1}{\pi}$ ④ $\frac{4}{3\pi}$

Ans.②

(16홍대)

3. 다음 함수의 Fourier 급수로 맞는 것을 고르시오.

$$f(x)=\begin{cases}-1, & -\pi\le x\le 0\\ 1, & 0\le x\le \pi\end{cases}$$

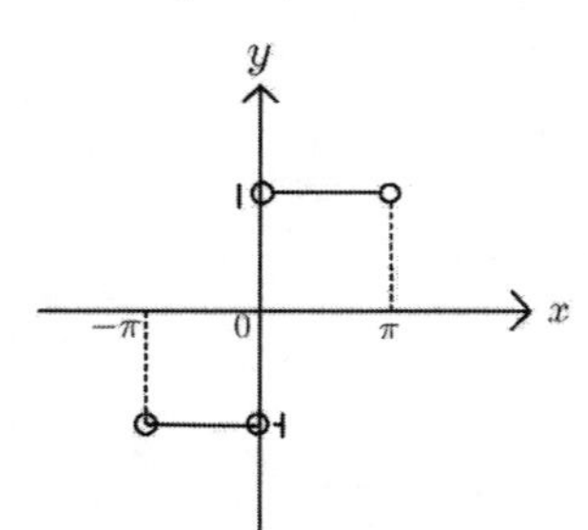

① $\frac{2}{\pi}\sum_{n=1}^{\infty}\frac{[1-(-1)^n]}{n}\sin nx$ ② $\frac{2}{\pi}\sum_{n=1}^{\infty}\frac{[1-(-1)^n]}{n}\cos nx$

③ $\frac{2}{\pi}\sum_{n=1}^{\infty}\frac{[1-(-1)^n]}{n}(\sin nx+\cos nx)$ ④ $\frac{2}{\pi}\sum_{n=1}^{\infty}\frac{[1-(-1)^n]}{n}e^{nx}$

Ans.①

(한양)

4. 구간 $-1<x<1$에서 정의된 함수 $f(x)=-x$가 $f(x+2)=f(x)$를 만족할 때, 함수 $f(x)$를 푸리에 급수로 표현한 것은?

① $f(x)=\frac{1}{2\pi}\sum_{n=1}^{\infty}\frac{(-1)^n}{n}\sin n\pi x$ ② $f(x)=\frac{1}{\pi}\sum_{n=1}^{\infty}\frac{1}{n}\cos n\pi x$

③ $f(x)=\frac{1}{2\pi}\sum_{n=1}^{\infty}\frac{(-1)^n}{n}\cos n\pi x$ ④ $f(x)=\frac{2}{\pi}\sum_{n=1}^{\infty}\frac{(-1)^n}{n}\sin n\pi x$

Ans.④

(15홍대)

5. 다음과 같이 정의된 주기가 2π인 주기함수 $f(x)$ $f(x)=\begin{cases} 0, -\pi \le x < 0 \\ 2, 0 \le x < \pi \end{cases}$의 푸리에

급수 $f(x)=a_0+\sum_{n=1}^{\infty}(a_n \cos nx + b_n \sin nx)$에서 a_3+b_3의 값을 구하시오.

① $\frac{1}{3\pi}$ ② $\frac{2}{3\pi}$ ③ $\frac{1}{\pi}$ ④ $\frac{4}{3\pi}$

Ans.④

(17중대)

6. 주기가 4인 함수 $f(x)$를 다음과 같이 정의하자. $f(x)=\begin{cases} 2+x, & -2 < x < 0 \\ 2 & ,0 \le x < 2 \end{cases}$

$f(x)$를 아래와 같이 Fourier 급수로 나타낼 때, $\frac{a_1+a_2}{b_1+b_2}$의 값은?

$f(x)=\frac{1}{2}a_0+\sum_{n=1}^{\infty}\left(a_n \cos\frac{n\pi}{2}x + b_n \sin\frac{n\pi}{2}x\right)$

① $\frac{4}{\pi}$ ② $\frac{3}{\pi}$ ③ $\frac{2}{\pi}$ ④ $\frac{1}{\pi}$

Ans.①

(17국민)

7. 정의역이 R인 함수 f는 구간 $[-\pi, \pi]$에서 $f(x) = |x|$이고 $f(x) = f(x+2\pi)$이다. 이 주기함수 f의 푸리에 급수 $\frac{a_0}{2} + \sum_{k=1}^{\infty} a_k \cos(kx)$에서 $\sum_{k=0}^{3} a_k$의 값은?

① $\frac{9\pi^2 - 40}{9\pi}$ ② $\frac{9\pi^2 - 32}{9\pi}$ ③ $\frac{3\pi^2 - 20}{3\pi}$ ④ $\frac{3\pi^2 - 16}{3\pi}$

Ans.①

(20항공)

8. 주기가 2인 함수 $f(x)$는 다음과 같이 정의된다. $f(x) = \begin{cases} -1, & -1 \le x < 0 \\ 1, & 0 \le x < 1 \end{cases}$

$f(x)$의 푸리에 급수를 아래와 같이 나타낼 때, b_n은?

$$f(x) = \sum_{n=1}^{\infty} b_n \sin((2n-1)\pi x)$$

① $\frac{4}{\pi}\frac{1}{n}$ ② $\frac{4}{\pi}\frac{1}{(2n-1)}$ ③ $\frac{2}{\pi}\frac{1}{n}$ ④ $\frac{2}{\pi}\frac{1}{(2n-1)}$

Ans.②

(15중대)

9. 주기가 2π인 함수 $f(x)=\begin{cases} x-1, & (-\pi < x < 0) \\ x+1, & (0 \le x < \pi) \end{cases}$의 Fourier급수는?

① $\sum_{n=1}^{\infty}\left(\frac{2(\pi+1)}{n\pi}(-1)^{n+1}-\frac{2}{n\pi}\right)\cos nx$ ② $\sum_{n=1}^{\infty}\left(\frac{2(\pi+1)}{n\pi}(-1)^{n+1}-\frac{2}{n\pi}\right)\sin nx$

③ $\sum_{n=1}^{\infty}\left(\frac{2(\pi+1)}{n\pi}(-1)^{n+1}+\frac{2}{n\pi}\right)\cos nx$ ④ $\sum_{n=1}^{\infty}\left(\frac{2(\pi+1)}{n\pi}(-1)^{n+1}+\frac{2}{n\pi}\right)\sin nx$

Ans.④

(14중대)

10. 주기가 2π인 함수 $f(x)=\begin{cases} 0, & -\pi < x < 0 \\ 1, & 0 < x < \pi \end{cases}$ 의 *Fourier*급수는?

① $\frac{\pi}{2}+\frac{\pi}{4}\left(\cos(x)+\frac{1}{9}\cos(3x)+\frac{1}{25}\cos(5x)+\cdots\right)$

② $\frac{1}{2}+\frac{2}{\pi}\left(\sin(x)+\frac{1}{3}\sin(3x)+\frac{1}{5}\sin(5x)+\cdots\right)$

③ $\frac{1}{2}+\frac{2}{\pi}\left(\sin(x)+\frac{1}{2}\sin(2x)+\frac{1}{3}\sin(3x)+\cdots\right)$

④ $\frac{\pi^2}{3}-4(\cos(x)-\frac{1}{4}\cos(2x)+\frac{1}{9}\cos(3x)+\cdots)$

Ans.②

(18홍대)

11. 다음 중 $0<x<\pi$의 범위에서 $f(x)=x$와 같지 않은 것을 고르시오.

① $\sum_{n=1}^{\infty}\frac{2(-1)^{n+1}}{n}\sin nx$

② $\frac{\pi}{2}+\frac{2}{\pi}\sum_{n=1}^{\infty}\frac{(-1)^{n}-1}{n^{2}}\cos nx$

③ $\frac{\pi}{2}+\sum_{n=1}^{\infty}\left(\frac{(-1)^{n}-1}{n^{2}\pi}\cos nx+\frac{(-1)^{n+1}}{n}\sin nx\right)$

④ $\frac{\pi}{2}-\sum_{n=1}^{\infty}\frac{\sin 2nx}{n}$

Ans.③

(14중대)

12. 주기가 2π인 함수 $f(x)=\begin{cases}\pi+x, -\pi<x<0\\ \pi-x, 0<x<\pi\end{cases}$의 Fourier 급수를 이용하여, 무한급수 $1+\frac{1}{3^4}+\frac{1}{5^4}+\frac{1}{7^4}+\cdots$의 값을 구하면?

① $\frac{\pi^2}{8}$ ② $\frac{\pi^4}{90}$ ③ $\frac{\pi^4}{96}$ ④ $\frac{\pi^2}{8\sqrt{2}}$

Ans.③

(18항공)

13. 함수 f는 $f(x)=|x|,(-1 \le x \le 1)$과 $f(x)=f(x+2)$를 만족한다. 이 때, 푸리에 급수를 이용한 무한급수 $\sum_{n=0}^{\infty} \frac{1}{(2n+1)^2}$의 값은?

① $\frac{\pi^2}{2}$　② $\frac{\pi^2}{4}$　③ $\frac{\pi^2}{6}$　④ $\frac{\pi^2}{8}$

Ans.④

(19항공)

14. 주기가 2π인 함수 $f(x)=\begin{cases} 0, & -\pi \le x \le 0 \\ \sin x, & 0 \le x < \pi \end{cases}$ 에 대한 푸리에 급수를 이용하여 다음 무한급수의 값을 구하시오.

$$\frac{1}{2}+\frac{1}{1\times 3}-\frac{1}{3\times 5}+\frac{1}{5\times 7}-\frac{1}{7\times 9}+\cdots$$

① $\frac{3}{4}$　② $\frac{2\pi}{9}$　③ $\frac{\pi^2}{13}$　④ $\frac{\pi}{4}$

Ans.④

(16중대공대)

15. 주기가 2π인 함수 $f(x)=\begin{cases} 0, & -\pi < x < 0 \\ \sin x, & 0 \le x < \pi \end{cases}$의 Fourier 급수를 이용하여, 아래 식의 값을 구하면?

$$1+2\sum_{n=1}^{\infty}\frac{(-1)^{n+1}}{(2n+1)(2n-1)}$$

① $\frac{\pi}{2}$ ② $\frac{\pi}{4}$ ③ $\frac{\pi}{8}$ ④ $\frac{\pi}{16}$

Ans.①